EL ENREDO

ALICE MOHRMAN KOSNIK

Illustrated by George Armstrong

Stanley Thornes (Publishers) Ltd.

This edition first published in 1984 by
Stanley Thornes (Publishers) Ltd
Old Station Drive
Leckhampton
CHELTENHAM GL53 0DN

Reprinted 1988
Reprinted 1990

British Library Cataloguing in Publication Data

Kosnik, A.M.
    El enredo.—(Jaguar readers)
    1. Spanish language—Readers
    I. Title   II. Series
    468.6′421   PC4117

    ISBN 0–85950–194–9

Also from ST(P):

JAGUAR READERS
        EL OJO DE AGUA (A. Schrade)
        UN VERANO MISTERIOSO (A.M. Kosnik)
        LA HERENCIA (R. Hernández de Escobar)
SPAIN AFTER FRANCO — Language in context
        Juan Kattán-Ibarra and Tim Connell
CURSO PRÁCTICO DE ESPAÑOL PARA MAYORES
        Monica Wilden-Hart
GUIDE TO SPANISH IDIOMS/GUÍA DE MODISMOS ESPAÑOLES
        Raymond H. Pierson
GUIDE TO CORRESPONDENCE IN SPANISH
        Mary H. Jackson
THE SPANISH VERB
        Tim Connell and Elizabeth van Heusden
COMPLETE HANDBOOK OF SPANISH VERBS
        Judith Noble and Jaime Lacasa
ECO — A Spanish Practice Book
        Juan Kattán-Ibarra
PREMIO (Students' Book, Teacher's Book, Flashcards and Cassettes)
        Manuel Montoro-Blanch
WORKING WITH SPANISH Levels 1 and 2 (Coursebook, Teacher's Notes and Cassette)
        Juan Kattán-Ibarra and Tim Connell

Printed and bound in Great Britain at The Bath Press, Avon.

Preface

The language level of *El enredo* is suitable for learners in their second and third years of Spanish (for those on an accelerated course, it might be appropriate in the later months of their first year).

El enredo may be used either as supplementary reading for individual use, or as a reader for the class as a whole. Either way, as readers become more involved in the mystery, they will also develop a great deal of knowledge of northern Spain: its people, traditions, customs, geography and history. The book will provide the individual reader with useful and interesting background information, as well as exciting reading. And for the class as a whole, it can act as a springboard for related cultural activities.

The Jaguar series meets a need for reading material that is both simple and interesting. The vocabulary and structures used are usually covered in first and second level Spanish courses. Idiomatic expressions and unfamiliar vocabulary are explained in marginal notes. A complete Spanish-English vocabulary is also provided. Although it has been carefully controlled, the language of *El enredo* is idiomatic and authentic to the Barcelona area.

Readers who have enjoyed *El enredo* can go on to other books in the Jaguar series: *Un verano misterioso*, set in Mexico; *La herencia*, which takes readers through Central and South America; and *El ojo de agua*, a Costa Rican mystery.

1. Un viaje inesperado

—¡Steve, Steve, despiértate!— gritó Susan al entrar en la habitación de su hermano. —¡Despiértate! Llegó el cartero° con noticias de tío Tony.

cartero postman

Muy impaciente, Susan miró a su hermano todavía dormido en la cama. Aun dormido, Steve era guapo. Era alto, delgado pero fuerte y tenía un bigote° pequeño.

bigote moustache

Otra vez Sue gritó: —¡Despiértate, perezoso!° ¿No quieres ir a España?

perezoso lazy

—¿Ir a España? ¿Qué me dices?— Steve bostezó° y preguntó a la vez.° Abrió los ojos y miró a su hermana.

bostezó yawned

a la vez at the same time

Como siempre Susan parecía muy bonita. Joven, delgada y con pelo rojo, Susan siempre llevaba ropa de última moda. Aun su túnica° era de estilo nuevo. Los ojos chispeando° con emoción, Sue explicó: —Recibimos una carta de tío Tony en México. ¡Nos invitó a España!

túnica robe

chispeando sparkling

—¡Qué cosa!— exclamó Steve mientras se ponía sus anteojos° nuevos. —¡Déjame ver la carta!

anteojos glasses

Empezó a leer en voz alta: —Queridos sobrinos, parece imposible que ya ha pasado un año desde que estuvieron conmigo en México. Después de nuestra boda,° Marta y yo pasamos la luna de miel° perfecta en su condominio en la Costa Brava de España. ¡Qué lugar precioso! ...

boda wedding

luna de miel honeymoon

—¡Qué romántico!— exclamó Sue. Sonreía mientras pensaba en su tío. El verano pasado Sue y Steve habían ayudado a su tío a capturar a un ladrón que robó a varias mujeres ricas, incluyendo a Marta. Después,

1

los jóvenes habían visto crecer° el amor entre su viejo tío soltero° y la viuda° rica. Los dos se casaron° en el invierno.

crecer to grow
soltero bachelor
viuda widow
se casaron were married

Steve siguió leyendo: —Vamos a regresar a España en agosto y queremos que Uds. nos visiten allá. Les mandaremos un cheque como regalo para pagar el viaje.

— ¡Qué maravilloso, qué estupendo, qué romántico! — exclamó Sue en su manera característica. — ¡Qué generoso es nuestro tío!

Steve, acostumbrado al «super-entusiasmo» de su hermana, siguió leyendo: —No podemos ir a España hasta agosto porque tenemos algunos problemas con nuestra tienda de artesanía° aquí. No es nada serio. Tenemos problemitas con pinturas que compramos en España.

artesanía arts and crafts

Ahora Steve interrumpió: —¿Qué problemas tendrá° con pinturas? Puesto que° es artista, tío Tony no debe tener problemas con las pinturas que vende, especialmente si él las compró en España. ¡Qué raro!

tendrá could he have
puesto que since

— ¡No imagines otro misterio! — rió° Sue.

rió laughed

Steve leyó: —Pues, ¿qué les parece ir a España a fines de junio, viajar en julio y encontrarnos en la Costa Brava en agosto?

—¿Viajar solos?— interrumpió Sue otra vez. —No me gusta esa idea.

—Escucha— dijo Steve, —hay más.

Leyó: —Mi amigo, el investigador privado Rogelio Riofrío, sale para España el veintidós de junio. Va a visitar a su nieto, Ramón, en Barcelona. Así, Uds. cuatro pueden viajar juntos.

— ¡Ay de mí! — exclamó Susan. — ¡Casi se me había olvidado de° que nuestro amigo Ramón está allí! Estudia en la Universidad de Barcelona.

se me había olvidado de I had forgotten

Sue cerró los ojos azules y pensó en su amigo Ramón. Suspiró° mientras recordaba los buenos momentos que pasaba con él en México. Se animó° otra vez cuando Steve empezó a leer de nuevo.°

suspiró she sighed
se animó she cheered up
de nuevo again

—También Rogelio va a hacerme un favor. Va a visitar a varios negociantes de arte para mí. Estoy seguro de que Rogelio, puesto que es investigador, puede resolver mis problemitas...

2

—¡Qué te dije!— exclamó Steve, entusiasmado. —¡Hay otro misterio! ¡Algo extraño° está pasando! **extraño** strange

—¡Qué imaginación tienes!— rió Sue. —Este verano es para vacaciones y diversión, nada más.

—¿No vas a ir de compras?— rió Steve, recordando las innumerables compras de su hermana en México el verano pasado.

—Pues... sí— sonrió Sue. —El verano es para vacaciones, diversión,... ¡y compras!

1. ¿Cómo es Susan Summers?
2. Describa Ud. a Steve Summers.
3. ¿De quién recibieron una carta?
4. ¿Dónde pasaron su luna de miel Tony y Marta?
5. ¿Qué hicieron Susan y Steve el verano pasado?
6. ¿Qué van a hacer los chicos este verano?
7. ¿Cómo van a pagar el viaje?
8. ¿Qué problemas tiene tío Tony?
9. ¿Qué le parece raro a Steve?
10. ¿Quién es Rogelio Riofrío? ¿Qué va a hacer?

2. ¿Asunto de negocios?

—La línea Panamericana de aviación anuncia la llegada del vuelo° con procedencia de Nueva York...

vuelo flight

Rogelio Riofrío oyó el anuncio del altavoz° mientras miraba con impaciencia la gran cantidad de pasajeros que pasaba por la aduana.° Por fin vio a los jóvenes y gritó: —Susan, Steve, ¡por aquí!

altavoz loudspeaker

aduana customs

Sus maletas registradas,° Susan y Steve corrieron para abrazar° a su amigo de Guadalajara, México. Notaron que Rogelio no había cambiado mucho. Un hombre moreno y distinguido, Rogelio parecía aún más elegante. El pelo había crecido un poco y la cartera° que llevaba le daba un aire de importancia.

registradas inspected

abrazar to embrace, hug

cartera briefcase

—¡Bienvenidos a Barcelona!— exclamó Rogelio. —Si estáis listos,° voy para el coche. Esperad° aquí un momento. ¿Vale?

estáis listos you are ready

esperad wait

Rogelio salió sin esperar respuesta.

Confundidos y cansados, Sue y Steve se miraban° mientras Rogelio buscó el coche. Al subir al° coche Sue preguntó: —Casi no lo entiendo. Parece que no habla español... ¿Qué quieren decir esperad, estáis, vale?

se miraban looked at each other

subir al getting into

Rogelio rió: —Sí, hablo español, pero la lengua de Barcelona es un poco distinta del español de México. Aquí se acostumbra a usar el pronombre vosotros que no usamos en México. *Estáis* y *esperad* son formas de verbo que se usa con vosotros.

—Y *vale*, ¿qué quiere decir?— preguntó Steve.

—Ah, sí— contestó Rogelio, —vale es una palabra que se usa a menudo° aquí. Es más o menos como *OK*

a menudo very often

en inglés. Tenéis que practicar si queréis hablar como los barceloneses. ¿Vale?

—¡Vale!— rieron los jóvenes.

Mientras viajaban en la autopista° hacia la ciudad, los chicos practicaron «habláis, estudiáis...», pero terminaron de practicar al entrar a la ciudad. Notaron que todo era nuevo, la autopista, los coches, las fábricas, los rascacielos° y los bloques de pisos.°

—Notáis que Barcelona es muy moderna— comentó Rogelio. —A propósito, vamos a pasar por el Parque Güell en ruta al hotel. Allí os esperan unas sorpresas.

Los chicos, cansados del viaje, no respondieron. Casi dormidos, se asombraron° cuando Rogelio paró el coche frente a° un viejo edificio.

—¿Es el parque?— murmuró Steve, medio dormido.

—No... Es que... tengo que hablar con una persona que trabaja aquí— balbuceó° Rogelio mientras bajaba del coche con los chicos detrás.

Los chicos, ahora despiertos, vieron a un hombre viejo. Rogelio sacó un papel de su cartera y gesticuló° mucho mientras le mostró el papel al hombre. Cuando el hombre gesticuló que no, Rogelio se despidió de él y regresaron al coche.

—Parece desilusionado—° comentó Sue.

En este momento Rogelio subió al coche y exclamó con entusiasmo, como si nada hubiera pasado:° —Y ahora al Parque Güell.

Sue y Steve se miraron, mientras Steve preguntó:
—¿A quién visitó?

—...Este... asunto de negocios— balbuceó Rogelio.

—Tío Tony nos dijo que tiene problemas con algunas pinturas. ¿Tiene algo que ver con° eso?

—No, no— dijo Rogelio con énfasis. —¡Miren!

Sue y Steve se olvidaron de sus preguntas. Vieron una torre azul y blanca que parecía de otro mundo. La torre, que no era recta,° balanceaba sobre un tejado° lleno de gárgolas° y de otras figuras raras.

—El Parque Güell— anunció Rogelio. —¿Qué os parece?

Casi sin palabras, los tres anduvieron por el parque. Vieron cercas,° fuentes° y escaleras° de mosaico de co-

autopista motorway

rascacielos skyscrapers
bloques de pisos apartment complexes

se asombraron they were amazed, surprised
frente a in front of

balbuceó stuttered, stammered

gesticuló gestured

desilusionado disappointed

como si nada hubiera pasado as if nothing had happened

¿Tiene algo que ver con...? Does it have anything to do with...?

recta straight
tejado roof
gárgolas gargoyles

cercas fences
fuentes fountains
escaleras staircases

6

lores vivos y diseños° raros.   Vieron la estructura más **diseños** designs
rara—un techo° enorme apoyado° por muchísimas co- **techo** roof
apoyado supported
lumnas.   ¡Ni una columna era recta!

—Parece obra° de un loco— dijo Steve. **obra** work

—Pues— rió Rogelio, —hay algunos que creen que
el arquitecto era loco, pero muchos lo consideran un
genio.   Antonio Gaudí diseñó muchos edificios aquí
en Barcelona.   Todos son fantásticos, raros, grotescos,
exagerados.   Su obra maestra,° sin embargo, no está ter- **obra maestra** master-
piece
minada todavía.   Subamos° esta escalera y la veréis. **subamos** let's go up

Desde la cima° vieron en la distancia el edificio más **cima** top
raro que habían visto.   Era una catedral pero, en ac-
tualidad, era solamente la fachada.° **fachada** facade

Los chapiteles° parecían cerriones° enormes elabora- **chapiteles** spires
cerriones icicles
dos con miles de pedazos de mosaico y de vidrio.° **vidrio** glass

—De aquí no se puede ver los detalles— explicó Rogelio.   —Hay ornamentos en todas partes.

—¿Por qué no está terminado?— preguntó Sue.

—Pues— explicó Rogelio, —empezaron a edificar° el **edificar** to build
templo de la Sagrada Familia en 1883.   Gaudí murió en
1926.   Desde entonces el trabajo ha procedido muy lentamente.   Algunos dicen que no se debe gastar° tanto **gastar** to spend
dinero en un edificio tan feo.   Otros dicen que es una
obra fantástica y hay que terminarla.

—¡Qué interesante!— exclamó Sue.   —Ud. no min-
tió° cuando nos dijo que el parque sería una sorpresa. **mintió** lied

—Bajemos— sonrió Rogelio, —os espera otra sorpresa abajo.

Al entrar en un restaurante al aire libre, los jóvenes
oyeron una voz conocida.   ¡Era Ramón!

—Sue, Steve, ¡bienvenidos!— gritó Ramón mientras
abrazaba a Steve y estrechaba la mano a° Sue. **estrechaba la mano a**
shook hands with

Sue miró a Ramón.   Todavía moreno, bajo y de apariencia seria, Sue notó felizmente que Ramón había per-
dido peso° y ya no era gordo.   De veras, era guapo. **perdido peso** lost
weight

Regresando a la realidad, Sue oyó a Rogelio decir:

—Pues, jóvenes, tengo que hacer algo… negocios…
Ramón, toma las llaves° y lleva a tus amigos al hotel **llaves** keys
cuando terminéis los refrescos, ¿vale?

—Vale, abuelo— dijo Ramón.

Cuando Rogelio había salido, Steve le preguntó a Ramón: —¿Qué hace tu abuelo aquí? Antes de venir al parque, paramos a una casa donde tu abuelo habló con un viejo. ¿Qué lleva en aquella cartera?

—No sé— dijo Ramón seriamente. —Acabo de° ter- **acabo de** I have just
minar con los exámenes en la universidad. Por eso, no he visto mucho a mi abuelo.

Los tres se quedaron hablando de Rogelio y de todas las cosas que habían pasado en el año desde que se vieron la última vez. Por fin, Ramón dijo: —Vamos al hotel. Podéis dormir un rato antes de la cena... porque esta noche, ¡no van a dormir!— sonrió Ramón. —Vamos a la Verbena° de San Juan, una de las fiestas más **verbena** night festival
importantes de Barcelona.   on the eve of a saint's day

Hablando de sus planes, fueron al hotel. Más tarde, despidiéndose de sus amigos, Ramón dijo: —Ahora, ¡a dormir! Paso por vosotros a las 10.30. Después de la cena...

—Cena, ¿a las 10.30?— interrumpió Sue. —¿Tan tarde? ¡Mi pobre estómago!

—Sí— rió Ramón. —Aquí nadie cena hasta las 10.00. ¡Tenéis que acostumbraros al horario° español! **horario** time schedule

Los jóvenes durmieron, pero los sueños° eran una **sueños** dreams
mezcla° confundida de todas las cosas que ya habían pa- **mezcla** mixture
sado—el Parque Güell, el templo de la Sagrada Familia, su amigo Ramón y los secretos de Rogelio Riofrío.

¡Así empezó un verano de aventuras!

1. Describa Ud. a Rogelio Riofrío.
2. ¿Por qué les confundió la lengua española a los jóvenes?
3. ¿Cómo es Barcelona, nueva o vieja?
4. ¿Qué hizo el Sr. Riofrío en una casa vieja?
5. ¿Qué vieron los jóvenes en el Parque Güell?
6. ¿Qué es la obra maestra de Antonio Gaudí? ¿Por qué no está terminada todavía?
7. ¿Qué sorpresa les esperaba a los chicos en el restaurante al aire libre?
8. ¿Cómo es Ramón Riofrío?
9. ¿Por qué tienen los chicos que dormir la siesta? ¿Adónde van por la noche?
10. ¿Por qué sufre el estómago de Sue? ¿A qué cosa tiene que acostumbrarse?

3. Sí, es curioso.

—¡Qué pescado° riquísimo!— exclamó Sue mientras los tres jóvenes salían del restaurante esa noche, —los camarones,° los calamares,° los ostiones,° la merluza...°
  —¡Lástima que no te gustó la cena!— interrumpió Ramón y los dos chicos rieron. Ramón añadió: —Vamos al "centro del mundo." Allí nos esperan unos amigos míos.
  —¿Al centro del mundo?— preguntó Steve.
  —Sí, amigos— explicó Ramón, —el "centro del mundo" es el nombre común de la Plaza de Cataluña. Puesto que todos los medios de transporte pasan por allí, y porque está en el centro de la ciudad, la gente la llama así.
  Pasaron por Las Ramblas, una de las calles más bonitas del mundo. Se dice que en Las Ramblas la gente camina en la calle mientras los coches pasan por las aceras.° Por todos lados veían restaurantes al aire libre, kioscos° grandes con todas clases de libros y revistas, vendedores de pájaros y animales pequeños y muchas florerías bonitas.
  —A todas horas de día y noche hay mucha gente aquí— comentó Ramón.
  Por fin los tres llegaron a la plaza. Steve vio las muchas sillas y dijo: —Bueno, nos sentamos y esperamos a tus amigos.
  —No— dijo Ramón, —tienes que pagar un duro° para alquilar° una silla. Aquí están mis amigos.
  Steve y Sue miraron a tres chicos españoles mientras Ramón dijo: —Quiero presentaros a mis amigos, Alfon-

pescado fish

camarones shrimp
calamares squid
ostiones oysters
merluza hake, a type of white fish

aceras pavements
kioscos newsstands

duro five peseta coin
alquilar to rent

so y Beto. Ellos estudian arte y arquitectura conmigo.

—Mucho gusto— dijeron todos.

El tercer joven dijo: —Y yo soy Carlos Coraje, amigo de Alfonso y Beto. Mucho gusto— y estrechó la mano a todos.

Sue lo saludó automáticamente porque estaba mirando a Alfonso. Notaba que Alfonso era alto, rubio y tenía ojos azules claros. Llevaba ropa casual pero de apariencia elegante. Fuerte pero cariñoso,° le parecía a Sue "el joven perfecto." Suspiraba mientras soñaba.

De repente, Sue notó que todos habían salido y que le estaban gritando: —¡Ven, Sue! ¿Qué te pasa?

Avergonzada° y con la cara roja, Sue corrió y, por "coincidencia," llegó al lado de Alfonso.

Todos los jóvenes subieron al coche de Alfonso, un Dodge elegante. En pocos minutos todos llegaron a Montjuich.°

Mientras subían el monte, Sue le preguntó a Alfonso: —¿Por qué hay fiesta esta noche?

Alfonso le contestó: —Pues, es la Verbena de San Juan, la noche antes de la fiesta de San Juan, el 24 de junio y...— añadió,° dirigiéndose a Alfonso y Beto, —ahora, vamos a comprar la champaña. La fuente va a empezar dentro de poco.

Subiendo un poco más el monte, todos vieron una gran cantidad de puestos.° Fascinados, los jóvenes miraron todo y compraron muchas pasas,° albaricoques,° dátiles,° almendras y otros dulces. Mientras tanto, los muchachos habían comprado una botella de champaña en otro puesto.

—¡Champaña! ¡Qué elegante!— exclamó Sue.

—Pues— explicó Alfonso mientras encontraban lugar para sentarse cerca de una fuente enorme, —todo el mundo bebe champaña durante la verbena.

Mientras tanto, Beto trataba de abrir la botella. Después de mucho movimiento, no podía. Le dio la botella a Carlos. Trató por muchos minutos, pero tampoco podía abrirla y se la dio a Alfonso. Tampoco podía abrirla.

Frustrados porque el tapón° no movía, los tres empezaron a discutir° en voces altas.

cariñoso affectionate, kind

avergonzada embarrassed

Montjuich hill on the edge of Barcelona next to the sea

añadió he added

puestos stands

pasas raisins
albaricoques dried apricots
dátiles dates

tapón cork

discutir to argue

10

Sue escuchó un rato y, con cara de frustración, casi llorando,° les comentó a Ramón y a Steve: —¡Qué desilusionada estoy! Hace tantos años que estudio el español y, ahora, no entiendo ni una palabra que dicen los chicos.

llorando crying

Ramón empezó a reír a carcajadas:° —¡Ah, Sue, qué graciosa eres!

reír a carcajadas laugh really hard

—¡Graciosa!— dijo Sue, enojada.° —No entiendo nada y tú te atreves a° burlarte de mí.° ¡Qué cruel eres!

enojada angry
te atreves a you dare to
burlarte de mí to make fun of me

—Ay, Sue, no es que no entiendes el español— explicó Ramón, ahora más cariñoso y tratando de no reírse, —es que mis amigos hablan catalán, no hablan español.

—¿Catalán? ¿Qué es eso?— preguntó Steve.

Ramón explicó: —Barcelona está en la región de Cataluña. Casi todos los catalanes hablan catalán, una lengua completamente diferente del español. La gran mayoría de la gente de Cataluña es bilingüe y muchos prefieren hablar catalán.

—Te aseguro, sin embargo, de° que todos hablan español también. ¿Te sientes mejor?

aseguro de I assure

La cara roja de vergüenza, Sue iba a decir algo cuando oyó el grito de los tres españoles. Felices, porque por fin salió el tapón de la botella de champaña, los jóvenes empezaron a escanciar° la champaña.

escanciar to pour

Al mismo tiempo, los jóvenes se asombraron de ver la fuente. Donde habían visto una fuente de apariencia ordinaria, ahora veían una multitud de luces de muchos colores. El agua bailaba en fuentes de muchos tamaños° e intensidades. Cambiaba continuamente y nunca veían la misma muestra° otra vez.

tamaños sizes
muestra pattern

—¡Ay! ¡Qué bonito! ¡Qué romántico!— exclamó Sue en su manera característica. —¡Nunca he visto una fuente tan bonita!

—Esta fuente es muy famosa— explicó Alfonso. —Hay solamente dos fuentes como ésta en el mundo. Debajo de la fuente hay un calculador° que controla todos los movimientos de luz y agua. ¡Nunca repite diseños!

calculador computer

Fascinados, todos miraron los movimientos de esta

fuente fantástica por más de una hora. Luego fueron al parque de atracciones° que está cerca de la fuente. Después pararon para comer churros° y beber más champaña y anduvieron entre la gran cantidad de gente que estaba en el parque. Por fin, a las tres de la madrugada,° decidieron regresar a casa. Al dejar a Sue y Steve en su hotel, Alfonso dijo: —Mañana vamos a hacer puente.° ¿Queréis ir a Sitges conmigo?

Sue y Steve no oyeron la pregunta porque estaban pensando en "hacer puente." Imaginaban que su amigo iba a construir un puente sobre algún río.

—¿Hacer puente?— preguntó Steve.

—Sí— explicó Alfonso, —es una de nuestras costumbres más bonitas. Por ejemplo, si hay fiesta el jueves, no vale la pena de° ir a trabajar por sólo un día. Hacemos puente, o sea, otro día de fiesta hasta el sábado. ¿No creéis que es una costumbre buena?

—Sí— respondieron Sue y Steve a la vez.

—Pues— continuó Alfonso, —¿queréis ir a Sitges o no?

Sue y Steve habían esperado ir a esa playa bonita y, así, respondieron que sí con mucho entusiasmo.

—Pues, paso por vosotros° a las diez, ¿vale?

—¡Vale! Nos vemos entonces. Buenas noches.

—Buenas noches, buenas noches— gritaron todos mientras salían en el coche de Alfonso.

—¡Ay! ¡Qué noche divertida!— dijo Steve a su hermana, mientras subían en el ascensor.° —Y... parece que te interesa ese chico Alfonso— añadió Steve con una sonrisa.

—Pues... sí— dijo Sue, la cara roja otra vez, y añadió un poco después, —pero sabes una cosa rara. Cuando estábamos andando, Alfonso me dijo que viene de un pueblo pequeño y que su familia es muy pobre. Pero... si es tan pobre, no entiendo cómo puede manejar un Dodge.°

—Es posible que sea el coche de un amigo— sugirió° Steve.

—Sí, es posible. Pero, ¿notaste la gran cantidad de dinero que gastó? ¿Notaste la chaqueta de piel° fina que llevaba? ¿Es curioso, no?

parque de atracciones amusement park
churros kind of doughnut

madrugada early morning

puente bridge

no vale la pena de it's not worth the trouble to

paso por vosotros I'll pick you up

ascensor lift

Dodge most expensive car in Spain
sugirió suggested

piel leather

—Sí, es curioso, pero estoy seguro de que hay una explicación. Quizás lo averiguamos° esta mañana en la playa.

averiguamos we'll find out

—Sí, en la playa bonita de la Costa Dorada. ¡Qué romántico es todo esto! — respondió Sue con entusiasmo otra vez. Añadió en una voz callada:° —Romántico... pero curioso...

callada quiet

1. ¿Qué es el «centro del mundo»?
2. ¿Por qué es interesante Las Ramblas?
3. Describa Ud. a los amigos de Ramón.
4. ¿Adónde van los jóvenes?
5. ¿Qué toman los jóvenes en Montjuich?
6. ¿Por qué no entiende Sue a los chicos españoles?
7. ¿Qué lenguas hablan los catalanes?
8. ¿Por qué es famosa la fuente de Montjuich?
9. ¿Qué quiere decir «hacer puente»?
10. ¿Por qué cree Sue que hay algo raro con Alfonso?

4. Paquetes y playas

—Sue y Steve, quiero presentaros a mi prima, Mercedes— dijo Alfonso.

Mercedes era una muchacha muy guapa de unos die-
ciséis años. Delgada y baja, ella tenía pelo negro y ojos
verdes. Un poco tímida, pero los ojos brillando de animación, Mercedes estrechó la mano a Sue y a Steve.
—Mucho gusto— les dijo.

Steve, sonriendo, andaba al lado de Mercedes mientras cruzaron una de las calles entre el hotel y "el centro
del mundo." Una vez en la plaza, Alfonso balbuceó:
—¿Podéis esperar aquí un rato? Es que... tengo que...
tengo que entregar° un... proyecto a un profesor mío.   **entregar** to deliver

—¿Puedo ir contigo?— preguntó Sue.

—Pues... está bien— respondió Alfonso después de
pensar un momento.

Se despidieron de Steve y de Mercedes, ya ocupados en
dar de comer° a las palomas,° y empezaron a andar por   **dar de comer** to feed
las calles tumultuosas.° Por primera vez, Sue notó el   **palomas** pigeons
tumultuosas crowded,
paquete que llevaba Alfonso. Rectangular pero no muy   busy
grueso,° el paquete era un metro de largo y estaba   **grueso** thick
envuelto° en papel oscuro y estaba atado° con mucha   **envuelto** wrapped
cuerda.°   **atado** tied
cuerda string

—¿Qué clase de proyecto tienes?— le preguntó Sue,
curiosa como siempre. —¿Me permites verlo?

—No— respondió Alfonso bruscamente.

Un poco ofendida, Sue decidió cambiar de tema y
le preguntó: —¿No está cerca de aquí el museo de Pi-
casso? Es una de las cosas que tengo ganas de° ver.   **tengo ganas de** I feel
like
Alfonso explicó con paciencia que Picasso vivió mu-

14

chos años en Cataluña. Explicó exactamente dónde está el museo que contiene unas 2.000 de sus obras. Hablaron muy contentamente de la obra de Picasso.

Sin embargo, Sue notó que Alfonso cambió de expresión cuando ella empezó a hablar de los cuadros "perdidos" de Picasso. Ella dijo: —¿No es verdad que, después de la muerte de Picasso, encontraron muchas de sus pinturas y que aquellos cuadros valen muchísimo ahora? ¿No sería magnífico encontrar uno de aquellos originales desconocidos?

Perturbado,° Alfonso no le habló por unos momentos. **perturbado** worried
Al llegar frente a una casa grande cerca de la universidad, le dijo: —Aquí vive el profesor. Espera aquí un momento, por favor.

Sue, curiosa porque Alfonso no había contestado su pregunta, esperó un rato. Después de unos breves momentos, vio a su amigo salir de la casa. Lo vio poner
unos billetes° en su cartera° mientras hablaba con un **billetes** notes (paper money)
viejo hombre cano° a la puerta de la casa. **cartera** wallet / **cano** grey-haired

Aunque tenía mucha curiosidad, Sue no le preguntaba nada a Alfonso mientras regresaban a la plaza. Hablaron de muchas otras cosas y, en poco tiempo, se encontraron otra vez con Steve y Mercedes.

—Bueno, ¡vamos a Sitges!— exclamó Alfonso, mirando su reloj. —Hay un tren que sale en quince minutos. Si apuramos° un poco, llegaremos a tiempo. **apuramos** we hurry

Los cuatro corrieron a la estación de RENFE° que **RENFE** Spain's train system
está debajo de la Plaza de Cataluña, compraron los billetes y, muy apretados° entre la muchedumbre° en el **apretados** crowded / **muchedumbre** crowd
andén,° esperaron el tren. **andén** platform

—Parece que todo Barcelona va a Sitges— comentó Steve.

—Pues— explicó Mercedes, —casi todo el mundo sale de Barcelona en los días de fiesta. Oíd, ¡llega el tren!

Los cuatro corrieron y encontraron sillas en un vagón.° **vagón** train carriage
Muchas personas estaban de pie en los pasillos.° **pasillos** aisles

El tren pasó por muchos pueblos pequeños cerca del mar. Cada vez que vieron el mar azul, Sue y Steve se animaron más. —¡El mar Mediterráneo!— suspiró Sue, —¡qué romántico!

Después de una hora, llegaron a Sitges. Un pueblo

16

viejo, era un lugar muy popular para los barceloneses.

Los chicos tenían que andar por las calles estrechas° para ir a la playa. Pasaron por muchísimas tiendas y casi tenían que vendar los ojos° de Sue porque paraba cada vez que vio algo que le gustaba.

—Si paramos en cada tienda, nunca llegaremos a la playa— se quejó° Steve. —¡Ven, Sue!

Llegaron a la playa y, entre la muchedumbre, encontraron un lugar para sentarse. La vista era magnífica— el mar azul, los viejos edificios blancos del pueblo, las plantas verdes, las flores bonitas cerca de la calle y una iglesia muy antigua situada a un extremo de la playa entre el mar y el pueblo.

Steve sacó varias fotos y luego gritó: —¡Al agua!— Corrió y saltó° al agua. Sus amigos lo siguieron.

Generalmente hay pocas olas° en la playa de Sitges, pero ese día había un viento muy fuerte. Los cuatro se divirtieron mucho jugando en las olas. No notaron que, con el viento, la marea° llegó muy rápidamente a la playa.

De repente, oyeron gritos desde la playa. Corrieron y llegaron a sus cosas al mismo tiempo que las cubría el agua.

—¡Ay, la ropa, las toallas!— gritaron.

—Pues, parece que no hay más remedio que° quedarnos aquí en la playa hasta que las cosas sequen—° rió Steve.

—¡Qué tragedia!— rieron los otros. Pasaron unas horas más en la playa, comieron en uno de los restaurantes pequeños en el pueblo y regresaron a Barcelona por la noche. Decidieron ir al puerto° para pasear° en una de las lanchas que transportan a los turistas hasta el muelle.° Les interesó mucho ver el gran tamaño del puerto y los muchos barcos de todas partes del mundo.

—No sabía que el puerto de Barcelona era tan grande— comentó Steve.

—¡Que sí!— contestó Alfonso. —Es el puerto principal de España y uno de los más importantes en el Mediterráneo.

Los muchachos continuaron su conversación sobre el puerto, pero a Sue le interesaba mucho más el "roman-

estrechas narrow

vendar los ojos to blindfold

se quejó complained

saltó jumped
olas waves

marea tide

no hay más remedio que there's no other choice than
sequen dry

puerto port
pasear to take a ride
muelle pier

17

ticismo" del lugar. Miraba con fascinación las luces de la ciudad, de los barcos y del parque de atracciones en el monte de Montjuich.

Por fin, cansada de la conversación de los chicos, les interrumpió y les preguntó: —Pues, mañana, ¿qué vamos a hacer? ¡Vamos al Pueblo Español! ¡O a ver el Barrio Gótico! ¡O a Montserrat! O...

—Calma, Susan— rió Steve, —vamos a ver todo, pero tenemos mucho tiempo todavía. Sin embargo— añadió, dirigiéndose a Alfonso, —puesto que no tienes clases mañana, ¿puedes tú llevarnos a Montserrat? Podemos ver la ciudad solos, pero necesitamos un coche para ir a Montserrat.

—Pues, amigo, me gustaría mucho llevaros mañana pero es que... es que... tengo que salir de la ciudad por unos días. Tengo... algo que hacer... fuera de aquí— balbuceó Alfonso.

Sue y Steve, curiosos, iban a preguntarle adónde iba cuando Alfonso añadió: —Pero, ¡tengo una idea! En unos días, ¿qué os parece viajar a Pamplona para la fiesta de San Fermín? Empieza el seis de julio.

—¡Ay de mí! ¡Qué idea maravillosa!— exclamó Steve. —Puedo correr con los toros.

—¡Correr con los toros!— exclamó Sue, fingiendo° miedo. —Mi hermano correr con los toros. ¡Mamá se desmayaría!°

fingiendo pretending, faking

se desmayaría would faint

—Sí— gritó Steve, —correr con los toros, ver las corridas, bailar con los jóvenes toda la noche, ¡fantástico!

Muy entusiasmados, los chicos hicieron planes para el viaje.

1. ¿Cómo es Mercedes?
2. ¿Adónde fueron Alfonso y Sue antes de ir a Sitges? ¿Por qué?
3. ¿Qué vio Sue fuera de la casa del profesor?
4. Describa el viaje a Sitges.
5. ¿Dónde está Sitges? ¿Cómo es?
6. ¿Qué pasó en la playa?
7. ¿Adónde fueron al regresar a Barcelona?
8. ¿Cómo es el puerto de Barcelona?
9. ¿Por qué no podían ir a Montserrat con Alfonso?
10. ¿Adónde van a viajar los chicos? ¿Por qué?

5. No lo reconozco.

—¡A Pamplona! — exclamó Ramón la mañana siguiente.

—¡Claro que me gustaría ir! Hablaré con Alfonso hoy.

—No está en casa— interrumpió Sue. —Dijo que iba a estar fuera de Barcelona por unos días.

—¿Te dijo adónde iba?— preguntó Ramón, muy serio.

—No— explicó Steve, —pero ahora que pienso en nuestra conversación, recuerdo algo raro. Cuando le pregunté adónde iba, Alfonso balbuceó como si no supiera qué decirme.°

—Es curioso— comentó Ramón. —Hace casi un año que conozco a Alfonso pero nunca me ha explicado adónde va en sus "viajecitos."

—¿Hace muchos viajes?— preguntó Sue.

—Pues, sí. Parece que ha estado fuera de Barcelona dos o tres días cada quince días.°

—¿Y nunca te dice adónde va?— preguntó Sue.

—No— explicó Ramón, —Alfonso es muy buen amigo y es una persona muy amable pero, tiene sus secretos.

Callados y pensativos, todos se asombraron de oír a Rogelio Riofrío acercárseles y decir: —Buenos días.

—Ay, buenos días— dijeron todos, sorprendidos.

—¿Estáis listos para nuestra excursión?

—Sí— dijeron todos con entusiasmo, recordando sus planes de visitar el Barrio Gótico. — ¡Vámonos!

Los cuatro caminaron por Las Ramblas hacia la calle de San Fernando. Doblaron° a la izquierda y notaron que la ciudad aquí tenía un aspecto diferente. Los edificios eran viejos y aun las luces parecían muy antiguas.

—Como podéis ver— explicó Rogelio, —ésta es la

no supiera qué decirme didn't know what to tell me

quince días two weeks

doblaron turned

19

parte más vieja de la ciudad. A propósito, en aquella esquina° está El Museo de la Historia de la Ciudad. **esquina** corner ¿Por qué no visitáis el Museo ahora? Mientras estáis allí, voy a hablar con unos negociantes de arte. ¿Qué os parece encontrarnos aquí en una hora?

—Sí, está bien— dijeron los jóvenes.

Los jóvenes, esperando° un museo aburrido,° entraron **esperando** expecting en el edificio viejo. Bajaron las escaleras y les sorpren- **aburrido** boring dió mucho al ver unas ruinas romanas debajo de los edificios. Casi todas estaban en condición muy buena.

—¡Qué interesante!— exclamó Sue. —¿Quién pen- saría encontrar tantas ruinas en este lugar?

—Sí, ¡qué interesante! Barcelona parece una ciudad muy moderna y muy antigua a la vez— comentó Steve al salir del Museo una hora después.

—Pues— dijo Ramón, —mi abuelo tenía una buena idea. Y, ¿no dijo que iba a estar aquí?

—No lo veo. ¿Dónde estará?— preguntó Steve.

—Pues— dijo Sue, sonriendo, —puesto que no está aquí todavía y puesto que hay muchas tiendas... No voy a perder tiempo en conversar. No voy lejos.

Sin decir más, Sue entró en la primera tienda. Com- pró algunas tarjetas° postales y una figura de porcelana. **tarjetas** cards Entró en una tienda pequeña en un edificio viejísimo y allí se sorprendió mucho al ver a Rogelio Riofrío.

Él no la vio porque estaba hablando en una manera muy seria con un dependiente.° Sue podía ver a Rogelio **dependiente** clerk sacar un papel de su cartera y mostrarlo al dependiente. Ella oyó al dependiente decir: —Lo siento, señor, no lo reconozco. Nunca ha estado aquí.

Sue se acercó y llegó al lado de Rogelio mientras él ponía el papel en la cartera. Claramente sorpren- dido, Rogelio le dijo: —Ay, Sue, ¿qué haces aquí? ¿Se me pasó la hora?° Lo siento.— Y dirigiéndose° **se me pasó la hora** I lost track of time al dependiente, le dijo: —Gracias por su ayuda, se- **dirigiéndose** facing, ñor Albéniz. Adiós, adiós. talking to

—¿Qué hace Ud. en estas tiendas?— preguntó Sue.

—Pues— contestó Rogelio después de unos momen- tos, —tu tío quiere que yo haga° algunos contactos para **quiere que yo haga** wants me to make él. Tony quiere comprar algunas cosas para su tienda en México. Nada más.

20

—Pero— continuó Sue, —¿qué es aquel papel que muestra a los dependientes?

—¿Papel?— preguntó Rogelio, perturbado. —No es nada... asunto de curiosidad, nada más.

Sue no estaba satisfecha con la respuesta pero no preguntó más.· En breves minutos, se encontraron con los chicos y todos anduvieron a la Plaza del Rey.

—¿Sabéis la historia de esta Plaza?— preguntó Ramón. —¿Veis esa escalera junto al edificio? Es aquí donde los Reyes Católicos ° recibieron a Cristóbal Colón cuando regresó a España. ¡Imagínense!

Reyes Católicos
Ferdinando and Isabel

—Sí— dijo Sue pensativa, —indios indígenas, plantas del Nuevo Mundo, y aquel italiano...

—¡Italiano!— exclamó Ramón, muy indignado. —¡No digas que Colón era italiano! Los catalanes insisten en que Colón era catalán.

—¿Catalán?— preguntaron todos, sorprendidos.

—Sí— explicó Ramón, —hay varias razones. Primera, Colón escribió en catalán, nunca en italiano. Segunda, un hombre catalán le dio el dinero para su primer viaje. Tercera, el nombre de Colón es catalán. Cuarta...

—Te creo, te creo— rió Steve. —¡Hace sólo un año que estás en Barcelona y ya hablas como un catalán!

Los cuatro miraron los salones y la capilla en el edificio junto a la plaza. Luego fueron por las calles estrechas del Barrio ° Gótico y llegaron a la catedral.

barrio section

Puesto que era domingo, vieron a muchas personas entrar y salir de la catedral. También vieron a muchas personas esperando en la plaza frente a la entrada.

—¿Qué esperan?— preguntó Steve.

—La sardana— dijo Ramón. —Aquí bailan todos los domingos.

—Un baile, ¡bah!— se quejó Steve. —No me interesan los bailes, menos ° los bailes "típicos."

menos especially not

En poco tiempo todos vieron una cosa extraña. De repente, sin ninguna señal y sin ruido, la gente se organizó en varios círculos de ocho a treinta personas. Oyeron música de una orquesta extraña. Consistía en óboes, cornetas ° y otros instrumentos. El sonido era distinto, una música muy pacífica y delicada.

cornetas cornets

—¿Por qué no os juntáis° a un círculo?   Invitan a   _{os juntáis} join
todos— sugirió Rogelio.
—¿Yo bailar?   ¡Qué ridículo!— exclamó Steve.
—Pero— añadió, cambiando rápidamente de tono y de
expresión, —quizás vale la pena de tratar de bailar.
Pronto caminó hacia uno de los círculos grandes.
Ramón, Sue y Rogelio se quedaron asombrados pero,
en poco tiempo, entendieron por qué Steve cambió de
opinión.   ¡Vieron a Mercedes en el círculo!
—No creo que sea solamente el baile que le interesa— rió Ramón.
Sue, Ramón y Rogelio miraron el baile.   El movimiento del círculo era como un reloj vivo que andaba
en dos direcciones; unos pasos° a la derecha, otros a la   _{pasos} steps
izquierda.   Después los bailadores levantaron los brazos
y bailaron más rápidamente.
—No parece difícil— comentó Sue.
—No, los pasos no son difíciles— explicó Ramón,
—pero, ¿has notado que empiezan, terminan y cambian
todos al mismo instante?   En realidad, el baile es muy
complicado.   ¡Cada bailador tiene una fórmula mate-
mática en su mente!
—Pues— rió Sue, —¡qué suerte para Steve!   Para él
las matemáticas son mucho más fáciles que los bailes.
En este momento llegaron Steve y Mercedes.
—¿Qué tal el baile?— preguntó Rogelio.
—Bien, bien— dijo Steve, suspirando hondamente.°   **suspirando hondamente**
— ¡Nunca pensaba que me gustaría un baile!   taking deep breaths
—Yo sé por qué te gusta— dijo Sue con una sonrisa.
Steve, ignorando a su hermana, regresó al círculo con
Mercedes a su lado.

1. ¿Qué sabe Ramón de los viajes de Alfonso?
2. ¿Cómo es el Barrio Gótico?
3. ¿Qué tiene el Museo de la Historia de la Ciudad?
4. ¿Qué hacía el Sr. Riofrío mientras los jóvenes visitaban el museo?
5. ¿Cuál es la historia de la Plaza del Rey?
6. ¿Por qué creen los catalanes que Colón era catalán?
7. ¿Qué esperaba la gente cerca de la catedral?
8. ¿Cómo empezó la sardana?
9. Describa el baile de la sardana.
10. ¿Por qué bailó Steve?

6.   Un herido grave

—¡A Pamplona hemos de ir! — gritó Alfonso unos días después de su viaje inexplicado.   Él ponía en marcha° el coche y así Sue, Steve, Ramón, Alfonso y Beto empezaron su viaje a la fiesta de San Fermín.

ponía en marcha started

Durante la primera hora pasaron por la estatua de "El Tamborí del Bruch."   Un héroe catalán, este joven había tocado° su tambor° en las montañas hace muchos años y había asustado a los franceses invasores.   También vieron Montserrat° en la distancia.   Como el nombre indica, les parecía raro ver esa enorme montaña gris, angular y desolada en medio de un terreno bastante llano° y verde.

había tocado had played
tambor drum
Montserrat bleak stone mountain near Barcelona
llano flat

—¿Sabéis que hay un monasterio escondido° entre los picos?

escondido hidden

—¿Dónde?   No lo veo— preguntó Sue, mirando hacia la montaña.

—No, tonta— se rió Beto, —está escondido.   No se puede ver hasta que llegues allí.

La cara roja de vergüenza,° Sue no dijo nada.

vergüenza shame

Viajaron todo el día.   Pararon muchas veces para tomar refrescos porque hacía muchísimo calor en el valle de Lérida.   Muy cansados, llegaron a las afueras de Pamplona a medianoche.

—Ahora, hay que encontrar el piso de mis tíos— dijo Beto.   Los jóvenes tenían mucha suerte porque iban a quedarse en el piso de Alberto y Adela Alegre, parientes de Beto.   Durante la fiesta de San Fermín es imposible encontrar lugar en un hotel.   ¡Se dice que aun San Fermín mismo no podría encontrar lugar!°

¡Se dice... lugar! Even St. Fermín himself couldn't find a room!

23

Llegaron a un edificio de pisos cerca de una fuente bonita. Subieron en el ascensor hasta el piso de los Alegre.

Los chicos, esperando hablar un poco y luego dormir, se sorprendieron mucho al ver a unas diez personas en el comedor pequeño. Sobre la mesa vieron un banquete.

Alberto Alegre presentó a los jóvenes a muchos primos, hermanos y amigos suyos. Entonces Adela salió de la cocina, platos en mano, y anunció: —¡Vamos a comer!

Entre mucha conversación animada, todos comieron como nunca imaginaban posible. Había conejo° sabroso, varios bocadillos,° fiambres,° sopa, espárragos, pan y mucho vino.

conejo rabbit
bocadillos snacks
fiambres cold cuts

A las tres de la mañana, terminados con la cena, los jóvenes pensaron que, por fin, iban a dormir. Sin embargo, otra sorpresa les esperaba cuando alguien anunció: —Vamos a la plaza.

Todos se levantaron y fueron a la calle. Muy cerca de la casa vieron una multitud de personas en la calle. Eran la mayor parte jóvenes, las personas cantaron y bailaron mientras pasaban por la calle. Muy alegres, invitaron a todos a juntarse con el grupo. De vez en cuando, pararon y todos bailaron la jota° en la calle.

jota folk dance of Spain

—¡Ay, fantástico! ¡Estupendo!— exclamó Steve. —¡Qué felices están!

—Así son las peñas°— explicó Alfonso. —Vamos a bailar.— Cogiendo° a Sue y a Steve, los arrastró° hacia el círculo enorme.

peñas groups of young men who sing and dance in the streets
cogiendo grabbing
los arrastró dragged them

Una vez en el círculo, los norteamericanos descubrieron que la jota era un baile fácil y bailaron con mucho entusiasmo. Cantaron "Uno de enero..." con los centenares° de personas de la peña. Todos, pamploneses, catalanes, madrileños, americanos, franceses y otros, estaban felices y llenos de júbilo.

centenares hundreds

Después de una hora, completamente agotados,° los jóvenes partieron° del grupo. Caminaron hacia la Plaza del Castillo donde los chicos compraron unos vasos de champaña y todos bebieron y descansaron un poco. La plaza, también, estaba llena de personas hablando, bai-

agotados exhausted
partieron separated

lando, comiendo y bebiendo. Los chicos notaron, sin embargo, que aun con la muchedumbre, la ciudad estaba limpia y no había ninguna pelea.°

pelea fight, quarrel

—Vamos a la plaza de toros— dijo Alberto. —Hay que comprar billetes para el encierro.°

encierro enclosure, six bulls run from their corral and are enclosed in the bullring

Los jóvenes caminaron hacia la plaza, esperaron un rato mientras Alberto compró los billetes y entonces anduvieron hacia el enorme parque de atracciones cerca de la plaza.

Se pasearon por el parque, conversaron y rieron más. Incrédula, Sue miró a sus amigos comer y beber aún más.

—Ya son las cinco y media. Vamos a la plaza— dijo Adela. Todos regresaron a la plaza pasando por grupos de personas hablando, peñas bailando en la calle y, de vez en cuando, personas dormidas en los coches o en los parques.

De repente oyeron un ruido raro. Doblando la esquina, vieron a tres jóvenes vestidos en boinas ° y chaquetas azules. Uno tocaba la gaita,° otro una flauta pequeña y otro el tambor.

boinas berets

gaita a type of bagpipe

—Son los tzistularis—° explicó Alberto. —Anuncian el comienzo de las fiestas. Vamos a la plaza. No queremos perder ° el encierro.

tzistularis typical musicians of the fiesta at Pamplona

perder to miss

Encontraron sillas frente a la puerta de la plaza. Sue y Steve se asombraron mucho de ver un grupo de unos veinte músicos, todos vestidos de blanco, en el centro de la plaza.

A las seis de la madrugada, mientras salía el sol,° los músicos empezaron a tocar música folklórica. Hacía mucho frío por la mañana y, así, los miles de personas en la plaza empezaron a cantar y mover los cuerpos de izquierda a derecha con el ritmo de la música. Así pasaron una hora feliz.

salía el sol the sun was rising

A las siete en punto, de repente, oyeron unos tiros ° en la distancia. —Son los cohetes—° explicó Beto. —El primero señaló que la puerta del corral estaba abierta. El segundo señaló que los toros estaban corriendo.

tiros shots

cohetes rockets

En dos minutos vieron a los primeros jóvenes correr y entrar en la plaza. En unos segundos mas, vieron la entrada tumultuosa de la mayoría de los

San Fermines.° Centenares de jóvenes entraron, tantos que parecía una inundación° de cuerpos.

Entre ellos corrieron los seis toros y varias vacas que habían corrido desde el corral. Los toros entraron en la plaza, corrieron mucho y salieron por la puerta del toril.°

—¡Qué emocionante!— exclamó Sue, de pie como todos.

—¡Y qué peligroso!— añadió Alfonso.

Mientras tanto, los jóvenes que habían corrido la media milla delante de los toros, todavía estaban en la plaza. Muchos se juntaron cerca del toril.

—¿Qué esperan?— preguntó Ramón.

—Las vaquillas—° explicó Alberto. —Van a dejar salir una vaquilla a la vez. Mira, ¡aquí viene la primera!

La vaquilla corrió a la plaza. Por unos diez minutos todos rieron mientras la vaquilla corrió por todos lados y los jóvenes practicaron sus pasos con manteles,° chaquetas y varias telas.° La pobre vaquilla no sabía adonde ir con tantos chicos. Así corrió y vaciló° mucho.

—¡Qué gracioso! ¡Qué chistoso!— exclamaron.

Después de un rato dejaron salir la primera vaquilla y otra entró en la plaza. Después de varias vaquillas, todos salieron de la plaza. Compraron boinas y bufandas° rojas de San Fermín de un vendedor en la calle y fueron a un restaurante al aire libre. Como es costumbre, pidieron un desayuno de churros y chocolate.

Hablaron muy animadamente de los sucesos de la noche y de la mañana mientras Alfonso buscaba un periódico.

Muy perturbado, Alfonso regresó a la mesa. Se sentó y siguió leyendo el periódico sin saludar a sus amigos. Después de unos minutos mostró los títulos° a sus amigos y dijo en una voz baja y seria: —Había un herido° grave en el encierro... alguien a quien conocemos.

—¿Quién?— exclamaron todos, asombrados y preocupados.°

—¡Carlos Coraje!— exclamó Alfonso, —nuestro amigo de la universidad. ¿Lo recordáis? Lo conocisteis la noche de la Verbena de San Juan.

San Fermines young men who run with the bulls
inundación flood

toril gate from which the bulls enter and leave the ring

vaquillas heifers

manteles tablecloths
telas cloths
vaciló hesitated

bufandas scarves

títulos headlines
herido injury, wound

preocupados worried

26

—Sí, lo recuerdo— dijo Steve. —¿Qué le pasó?

—Dice aquí— explicó Alfonso, —que un toro se separó de los otros toros, que Carlos se cayó y que el toro lo pisó° y lo corneó° varias veces en las piernas y el pecho.°

pisó trampled
corneó butted with horns
pecho chest

—¡Ay, qué horror!— exclamó Sue.

—Voy a llamar al hospital— dijo Beto mientras se levantaba y buscaba un teléfono.

Mientras llamaba, Alfonso comentó: —Todo esto es raro. Hace algunos días invité a Carlos a venir con nosotros. Me dijo que no podía, que tenía que quedarse en Barcelona. Y ahora, aquí está en Pamplona sin decirme nada. No entiendo qué pasó.

En este momento regresó Beto. Dijo: —Carlos está en condición grave pero no pudieron decir más ahora. La enfermera° me dijo que puedo llamar más tarde.

enfermera nurse

—No creo que todo esto ha ocurrido— comentó Sue, perturbada. —¿Qué podemos hacer?

—Pues, me parece que ahora no podemos hacer nada— dijo Alfonso. —Creo que la mejor idea sería irnos al piso y dormir un poco. ¡Hace treinta horas que no dormimos!

Al mencionar las treinta horas sin dormir, los amigos empezaron a bostezar.° Callados, pensativos y preocupados, regresaron al piso.

bostezar to yawn

1. ¿Qué es el «Tamborí del Bruch»?
2. ¿Qué es Montserrat?
3. ¿Qué hicieron los chicos al llegar a Pamplona?
4. ¿Qué hacían las peñas en la calle?
5. ¿Qué es la jota?
6. ¿Qué hicieron los chicos en la Plaza del Castillo?
7. ¿Qué son los tzistularis?
8. Describa el encierro.
9. ¿Qué pasa en las «vaquillas»?
10. ¿Por qué está perturbado Alfonso al leer el periódico?

7.   ¿Accidente o asesinato?

—¡Ya son las tres!— suspiró Steve al despertarse y mirar su reloj.   Se levantó, vio a Ramón todavía dormido pero no vio ni a Alfonso ni a Beto.   Entró en la cocina y saludó a su hermana.   Sue estaba tomando café con leche mientras leía un papel.

—Mira, Alfonso y Beto nos dejaron un recado—° dijo Sue con una expresión perturbada. —Dicen que tenían que ir al centro para averiguar algo acerca de Carlos.   **recado** message

—¡Qué raro!   ¿Qué tendrán que hacer?

—Tampoco entiendo— dijo Sue. —Hay un teléfono aquí si querían llamar al hospital.

—Hola, amigos— dijo Ramón, bostezando, al entrar en la cocina. —¿Qué hay?

Sue y Steve le mostraron el recado.   Cuando Ramón terminó de leerlo, hablaron de sus amigos.

Ramón dijo: —Hace mucho tiempo que sospecho° que Carlos está metido en algo raro.°   Parece que siempre dice una cosa y hace otra.   **sospecho** I suspect   **está metido en algo raro** is mixed up in something strange

—Pues, le dijo a Alfonso que no iría a Pamplona, y aquí está— comentó Steve.

Sue añadió: —Yo creo que también Alfonso tiene secretos.   Todavía no entiendo cómo puede manejar° un coche tan elegante y tener tanto dinero.   **manejar** to drive

—Bueno, sospecho que estamos imaginando mucho— dijo Steve, más calmado que los otros.

—Tienes razón— dijo Sue.   —Si apuramos un poco, podemos ver algunas cosas antes de la corrida.

En camino a la plaza Sue paró en varias tiendas.

Puesto que no les interesaban las compras, Ramón y Steve fueron a la plaza para esperarla.

—¡Mira!— exclamó Ramón al llegar a la plaza.

Mirando adonde señalaba Ramón, Steve vio a sus amigos Alfonso y Beto. Ellos hablaban en una manera muy seria con un viejo hombre cano.

—Parece que discuten algo en el periódico— comentó Ramón.

Compró un periódico en un kiosco que estaba cerca y regresó, muy perturbado, a su amigo.

—¡Murió Carlos!— exclamó.

—¿Murió?— preguntó Steve, incrédulo. —¿Qué pasó? ¿Cuándo ocurrió?

—Estoy seguro de que Alfonso y Beto saben. Vamos a hablar con ellos.

Se acercaron a sus amigos en el mismo instante que el hombre viejo desapareció entre la muchedumbre.

—¿Murió Carlos? ¿Cómo?— preguntaron todos.

Muy nerviosos y perturbados, Alfonso y Beto explicaron que Carlos había muerto mientras le operaban.

—¡Qué accidente terrible!— exclamó Steve.

—No fue accidente— dijo Alfonso

—¿¿¿Qué???— preguntó Steve. —¿No fue accidente? ¿Cómo?

Más nervioso, Alfonso repitió: —No fue accidente.

—¿Cómo sabes?— preguntó Ramón. —¿Os dijo algo aquel hombre cano con quien hablasteis?

Ahora, aún más perturbado, Alfonso dijo: —No hablamos con nadie.

—¡Que sí!— insistió Ramón. —Hace pocos minutos hablasteis con un viejo hombre cano.

—No, no— dijo Beto, —estáis pensando en otra persona.

Ramón y Steve sabían que los chicos mentían° y, por mentían were lying eso, estaban aún más preocupados y perturbados.

En este momento llegó Sue con las compras. Cuando la joven oyó de la muerte, Sue preguntó: —¿Qué podemos hacer?

—Nada— dijeron Beto y Alfonso. —Van a mandar el cuerpo a Barcelona. Y, aunque parece un poco extraño, debemos quedarnos aquí, olvidarnos de lo que ha pasado y divertirnos en las fiestas.

Aunque esta reacción a la muerte (¿asesinato?) de un amigo suyo les extrañó mucho a Sue, Steve y Ramón, no podían hacer nada. Aunque no podían olvidarse de la muerte de Carlos, se divirtieron esa noche casi como si nada hubiera pasado.°

como... pasado as though nothing had happened

Por la mañana fueron otra vez al encierro. Más tarde, mientras comían el desayuno, Steve los sorprendió a todos cuando anunció: —Voy a correr mañana.

—¿Qué?— preguntaron todos, muy asombrados.

—Dije que voy a correr en el encierro mañana. Es la única oportunidad que tendré... y lo voy a hacer.

No cambió de opinión aunque todos trataron de convencerlo de no hacerlo.

Después de un rato Beto dijo: —Pues, a las nueve y media empieza la procesión de los gigantes y cabezudos.° ¡Hay que verla! Vámonos.

cabezudos large headed figures made of pasteboard

Los jóvenes, al doblar la esquina, se sorprendieron mucho al ver unas figuras gigantes. Cada uno representaba algún rey o reina. Todos tenían unos cinco metros de altura y pesaban° unos 55 kilos.° Un hombre estaba dentro de cada gigante y lo llevaba.

pesaban weighed
55 kilos approximately 130 pounds

—¿Sabéis que cada figura tiene más de cien años de edad?— explicó Beto. —Cada año las pintan o hacen algunas reparaciones.

—¡Mirad! Empieza la procesión.

Fascinados, los jóvenes miraron una procesión rara. Entre cada dos o tres figuras había un grupo de tzistularis. Cada grupo tocaba la misma canción pero no tocaban juntos. Era como una ronda° extraña.

ronda round

Cada una o dos manzanas,° todas las figuras pararon y empezaron a bailar lentamente en la calle. De repente Sue gritó: —¡Ay! ¡Algo me golpeó!°

manzanas blocks (of a street)

golpeó struck

—Te golpeó un cabezudo— rió Beto, mientras le mostraba una figura rara. Como el nombre indica, era un hombre vestido como una persona muy rara con una cabeza muy grande. Llevaba un balón° hecho de piel atado° a un palo. Daba golpes a las personas, especialmente a los niños.

balón large ball
atado tied

30

Ocupados con la conversación, los jóvenes no notaron la salida de Alfonso, pero vieron su regreso.

—¿Adónde fuiste, amigo?— preguntó Ramón.

—Es que...— balbuceó, —vi a un amigo y fui a hablar con él. A propósito— añadió, —¿qué os parece salir mañana? Ya hemos visto casi toda la fiesta.

Los chicos dijeron que estaba bien. No había otro remedio° porque Alfonso tenía el coche.

no...remedio there was no choice

Más tarde, cuando Sue, Steve y Ramón estaban solos, Sue comentó: —No entiendo por qué tenemos que irnos mañana.

—Creo que Alfonso y Beto están más tristes, más perturbados y más preocupados que imaginamos— respondió Steve.

Ramón añadió: —No pensaba en esto antes pero, ¿recuerdas cuando te golpeó el cabezudo, Sue?

—Sí— dijo Sue, tocando° la cabeza.

tocando touching

—Pues, mientras hablamos yo vi a Alfonso hablar otra vez con el hombre cano que vimos en la plaza ayer. Inmediatamente al regresar a nosotros, Alfonso dijo que tenemos que irnos. Yo creo que no es coincidencia. No sé quién es aquel hombre, pero creo que tiene algo que ver con Carlos... y con Alfonso y Beto.

Callados, Sue y Steve pensaron un poco. Por fin Steve dijo: —Creo que tienes razón. Tenemos que fijarnos más en° las actividades de nuestros amigos. Hay muchas cosas sospechosas.

fijarnos en to notice

—Sí, hay algo raro... algo extraño— dijo Sue.

1. ¿Por qué se sorprendieron los jóvenes al despertarse?
2. ¿Qué vieron Ramón y Steve en la Plaza del Castillo?
3. ¿Qué pasó con Carlos?
4. ¿Qué piensan hacer los chicos después de la muerte de Carlos?
5. ¿Qué hacían los chicos por la noche?
6. ¿Qué va a hacer Steve la mañana próxima?
7. ¿Qué son los gigantes? ¿Qué hacen?
8. ¿Qué sugirió Alfonso después de hablar con su amigo?
9. ¿Por qué gritó Sue?
10. ¿De qué sospechan Steve, Sue y Ramón?

8. Otro viaje inesperado

Otra vez los jóvenes habían pasado toda la noche bailando y cantando en las calles de Pamplona. También habían pasado mucho tiempo tratando de convencerle a Steve de no correr en el encierro. Muy cabezudo,° Steve no los escuchó y, a las seis de la mañana, había encontrado un lugar en la calle de Estafeta.° Allí él esperaba los tiros... y los toros.

cabezudo stubborn

calle de Estafeta the main street through which the bulls run

Sue, pensando en su hermano, no podía cantar con los otros que esperaban en la plaza de toros. Se sentaba, muy callada, apretando la mano° de Ramón.

apretando la mano clutching the hand

Ramón, aunque también preocupado por Steve, estaba pensando más en Sue. Por primera vez Ramón estaba seguro de que Sue le quería un poco. Desde que los chicos habían decidido que algo extraño estaba pasando con Alfonso y Beto, Sue les había ignorado y había estado siempre al lado de Ramón.

—¡Ay! ¡Dejaron salir a los toros! ¡Ay! ¡Mi pobre hermano!— gritó Sue cuando oyó los tiros.

Los dos miraron con mucha atención a los primeros jóvenes que entraron en la plaza. No vieron a Steve. Siempre más asustados y miedosos,° miraron a todos los chicos que entraron. Después de lo que les parecía una eternidad, vieron entrar a los toros y, por fin, vieron a Steve corriendo delante del último toro.

miedosos afraid

Vieron los toros salir por el toril. Entonces miraron a Steve jugar con cada vaquilla que entraba en la plaza.

Más tarde encontraron a Steve en la calle.

—¡Gracias a Dios que estás bien!— exclamó Sue.

—Nos diste mucho miedo— añadió Ramón.

—¿Miedo? ¿De qué?— preguntó Steve, muy orgulloso. —¿No creísteis que fuera capaz de correr un poco? No fue nada— añadió con más orgullo mientras tocaba su bigote.

—¡Ay, vanidoso!—° exclamó Sue. —No sé por qué me preocupo de ti.

vanidoso conceited

Sue, ahora aliviada,° estaba un poco irritada con el orgullo de su hermano y le dijo a Ramón: —Vamos. Tenemos que encontrar a Alfonso y Beto. Steve— añadió con sarcasmo, —si no te da vergüenza,° puedes acompañarnos.

aliviada relieved

si... vergüenza if you're not embarrassed

—¡Bah!— dijo Steve. —A veces no entiendo a las chicas.— Y empezó a andar con ellos.

Se encontraron con Alfonso y Beto en el piso de los Alegre. Pasaron una hora en despedidas de la familia. Por fin subieron al coche de Alfonso.

—Adiós, Pamplona— dijo Sue tristemente.

—Adiós, adiós— añadieron los otros.

Cuando llegaron a las afueras° de Pamplona, Steve preguntó: —¿Cuánto tiempo dura el regreso a Barcelona?

afueras outskirts

—Tres días— contestó Beto y empezó a reír.

—¿Tres días?— preguntaron Sue, Steve y Ramón, incrédulos. —¿Cómo?

—Porque no vamos directos— explicó Alfonso. —Tenemos una sorpresa para vosotros— añadió con una sonrisa rara.

Sue, Steve y Ramón, sospechosos de todo, se sintieron mejores cuando Alfonso explicó que iban a regresar lentamente a Barcelona. Iban a viajar por los Pirineos,° ver los pueblos vascos y aragoneses,° visitar un parque nacional y el principado de Andorra.°

Pirineos the Pyrenees mountains
vascos y aragoneses of the regions of Aragón and País Vasco
Andorra a principality between France and Spain

Los jóvenes estaban contentos porque les interesaba mucho ver todos aquellos lugares. Pero, sin embargo, estaban sospechosos. Querían saber por qué Alfonso y Beto habían cambiado sus planes de regresar directamente a Barcelona.

—Pero, ¿por qué hacemos este viaje?— preguntó Ramón.

—Pues,... este... este...— balbuceó Alfonso, como si estuviera pensando en una excusa, —tengo que comprar algo en Andorra y es más fácil ir ahora.

—¿Qué vas a comprar?— preguntó Sue.

—Pues... este... necesito...

—¡Mirad! ¡Un frontón!— exclamó Beto, interrumpiendo a su amigo... y cambiando el tema de la conversación.

—¿Un frontón? ¿Qué es?— preguntó Sue.

—Pues— explicó Beto, —estamos en Navarra, cerca del País Vasco. Aquí originó el juego de jai alái. ¿Lo conocéis?

—Sí, lo vimos una vez en la Florida. No se juega en los otros estados de nuestro país. Es un juego muy interesante.

—Claro. Es el juego más rápido que existe. ¿Notasteis que casi todos los jugadores tienen nombres raros? Aun hoy casi todos los jugadores son vascos° y, claro, tienen nombres vascos como Echegarate o Azpeitia.

vascos Basques

—En cada pueblo de esta parte de España se ve un frontón, o sea una pared— añadió Alfonso. —Allí practican los jóvenes. Algunos de ellos llegan a ser jugadores profesionales.

Los amigos pasaron varias horas más viajando por el bello paisaje. Vieron las montañas majestuosas, los campos amarillos de trigo° y otros granos, las flores de muchos colores y, de vez en cuando, un arroyo° o una presa° y el embalse.°

trigo wheat
arroyo stream, brook
presa dam
embalse pond formed by the dam

Cada pueblo que pasaban era más pintoresco. Las casas hechas de piedra y madera estaban pintadas de colores vivos.

—¿Siempre hace fresco aquí?— preguntó Sue.

—¡Que no!— explicó Beto. —Hace frío y nieva° mucho aquí. Algunos de los pueblos son inaccesibles durante el invierno.

nieva it snows

Los jóvenes decidieron hacer un picnic en un lugar pintoresco junto a un arroyo de dulce y fría agua potable.° Comieron el pan, queso, chorizo° y fruta que habían comprado en Pamplona. Muy contentos, Alfonso, Beto y Steve durmieron la siesta en la sombra° de un

agua potable drinking water
chorizo sausage
sombra shade

árbol mientras Sue y Ramón caminaban por el arroyo y se sentaron en una roca grande para hablar.

—¡Nunca esperaba ver tantas montañas y paisaje tan bonito en España! Es una maravilla— comentó Sue, sonriendo.

—Pues España es uno de los países más montañosos de Europa.

—Es como un sueño— suspiró Sue, —sentarme en una roca, junto al arroyo de agua potable, mirar el campo verde debajo de las majestuosas montañas coronadas de nieve—° y añadió, —y ver todo esto con un buen amigo. ¡Ay! ¡Qué romántico! **coronadas de nieve** snow capped

Felices, los dos se sentaron mucho tiempo pensando, hablando y soñando.

Por fin, sus amigos, despiertos de la siesta, les gritaron y todos subieron otra vez al coche.

A las cinco de la tarde Beto dijo: —Estamos llegando a Bielsa. Vamos a parar allí. Se hace tarde.° **se hace tarde** it's getting late

Se estacionaron el coche en la pequeña plaza. Alfonso y Beto se fueron al hotel. Steve y Ramón tomaron un refresco mientras Sue miraba todos los objetos de madera, las alpargatas,° las botas,° y los otros recuerdos ° en las cinco tiendas alrededor de la plaza. **alpargatas** hempen sandals **botas** wineskin of leather **recuerdos** souvenirs **se cansó** got tired

Sue se cansó ° de hacer compras y todavía no habían regresado Alfonso y Beto.

—¿Dónde están?— preguntó Ramón. —¡Hace una hora que salieron!

—¿Otra reunión misteriosa con el viejo hombre cano?— sugirió Ramón, sonriendo.

—Creo que no— dijo Steve.

En este momento regresaron Alfonso y Beto. Beto explicó: —No había sitio en el hotel. Así, tuvimos que buscar casas particulares° con habitaciones para alquilar.° Caminamos por casi todo el pueblo y, por fin, encontramos habitaciones en tres casas diferentes. **casas particulares** private homes **alquilar** to rent

—¡Casas particulares! ¡Qué raro!— exclamó Sue.
—No podemos hacer esto en la ciudad.

—Ni tampoco podemos beber agua dulce de un arroyo, hacer un picnic en un valle de los Pirineos, ni dormir la siesta en los campos verdes— añadió Ramón, sonriendo.

—Tienes razón— rió Sue. —¡Cuánto me alegro de
que vengamos aquí!

—Pero, ¡qué raro que no sabemos por qué!— añadió
Steve, en voz muy baja.

1. ¿Qué esperaba Steve en la calle de Estafeta?
2. ¿En qué pensaba Ramón mientras esperaba el encierro?
3. ¿Dónde corrió Steve?
4. ¿Por qué dura tres días el regreso a Barcelona?
5. ¿Por qué cambiaron sus planes Alfonso y Beto?
6. ¿Qué es el frontón?
7. Describa el paisaje que vieron los jóvenes.
8. ¿Qué tiempo hace en las montañas en el verano? ¿En el invierno?
9. ¿Dónde comieron el almuerzo? ¿Qué hicieron después de comer?
10. ¿Dónde iban a dormir los jóvenes?

9. Preguntas sin respuestas

—¡Psst... pssst... Sue!— Sue se despertó al oír este ruido fuera de su ventana. Miró el reloj. ¡Eran las cinco de la mañana!

—¡Psst... Sue!— Oyó la voz extraña otra vez. Fue a la ventana y vio a Alfonso en la calle.

—Ay, buenos días, Alfonso— bostezó. —¿Qué haces aquí tan temprano?

—Tenemos mucho que hacer hoy— explicó rápidamente. —¿Puedes estar lista en veinte minutos? Te encontramos en la plaza, ¿vale?

—Vale— dijo Sue, pensativa. Mientras se vistió, se preguntaba: —¿Por qué tenemos que levantarnos tan temprano? ¿Por qué estamos tan de prisa?

Sospechosa y un poco enfadada° porque no le gustaba **enfadada** angered levantarse temprano, Sue salió para la plaza. Vio a su hermano y a Ramón pero no vio a los otros jóvenes.

Sue les preguntó: —¿Por qué tuvimos que levantarnos tan temprano?

—No sé— contestó Ramón. Y añadió pensativamente: —Es curioso. Alfonso nunca nos dijo qué va a comprar en Andorra. ¿Recordáis? Ayer lo preguntamos y Beto interrumpió y cambió el tema de la conversación.

—Sí— comentó Steve, —es curioso. Me alegro de que podamos ver los Pirineos, pero es un viaje extraño, el no saber adónde vamos, ni por qué.

—Pues, vamos a ver— dijo Sue, con cara de decisión. Y añadió en voz baja mientras se les acercaban Alfonso y Beto: —Tengo un plan...

—¿Listos, amigos?— preguntaron Alfonso y Beto.

Aunque era muy temprano por la mañana, los dos tenían mucha energía y casi saltaban al coche.

Sue, que siempre se había sentado al lado de Ramón, se sentó junto a Alfonso en el asiento por delante.° Muy animada, le preguntó mucho acerca del paisaje que veían.

Después de una hora de viaje en el bello terreno montañoso, Beto anunció: —Aquí está nuestra sorpresa. Cuando lleguemos a la próxima curva en la carretera, vamos a ver algo estupendo, el Valle de Pineta.

Beto no había mentido.° Al pasar la curva, los jóvenes vieron un paisaje fantástico. Delante vieron una presa y un embalse de agua azul. En el fondo° vieron tres picos muy altos coronados de nieve. Había varias cataratas° bellísimas. En el valle vieron muchísimas flores de todos colores.

—¡Es como un sueño!— exclamó Sue. —¡Nunca he visto un paisaje tan bonito, tan fantástico!

Los cinco bajaron del coche. Ramón empezó a andar hacia Sue, pero ella y Alfonso ya caminaban juntos hacia un campo de flores. Desilusionado, Ramón miró a Beto y a Steve.

—¿Os gustan las fresas?—° preguntó Beto.

—Sí, mucho— dijo Steve, —pero, ¿por qué?

—Porque hay muchísimas fresas aquí. ¡Venid!— dijo Beto y empezó a andar hacia un arroyo que estaba cerca. Al llegar a un grupo de plantas verdes, Beto continuó: —Si miráis con cuidado, vais a ver muchísimas fresas pequeñas. Son muy sabrosas.

Los tres pasaron más de media hora recogiendo° las fresas que eran muy dulces y sabrosas. ¡Comieron casi todas!

—Ahora tengo sed— dijo Steve, la boca llena de fresas dulces.

—Pues, también hay agua manantial° aquí— dijo Beto. —Vamos al arroyo. Yo también tengo sed.

Llegaron al arroyo y allí vieron a Sue y a Alfonso bebiendo agua mientras se miraban cariñosamente.

Celoso,° Ramón bebió la dulce agua fría sin placer.°

—Pues— dijo Beto cuando acabaron de beber, —todavía nos queda un viaje largo.

—¡Ay!, sí— dijo Alfonso, también mirando el reloj.

—Se me pasó la hora. Tenemos que apresurarnos un poco por° llegar a Andorra a tiempo.

apresurarnos por to hurry

Todos caminaron hacia el coche. Mientras miraban por última vez el valle fantástico, Sue, Steve y Ramón pensaban: —¿Llegar a Andorra a tiempo? ¿Para qué?

Pasaron muchas horas en el coche. Pararon muy pocas veces y era obvio que Alfonso y Beto tenían prisa.

A las tres de la tarde llegaron a la frontera° de An-dorra. —Parece que tenemos tiempo para ir al puer-to— dijo Alfonso, mirando el reloj. —¿Queréis subir antes de ir a la ciudad?

frontera border

—Pues, no sé nada de Andorra— dijo Steve. —Vamos.

—Vale— dijo Alfonso y explicó mientras manejaba: —Andorra es un país muy pequeño y, como sabéis, está situado en los Pirineos entre Francia y España.

—Tiene sólo 21.500 habitantes y no permiten que más personas vivan aquí— añadió Beto.

—¡Qué raro! — exclamó Steve. —Pero, ¿qué hace la gente aquí?

—Pues se cultiva mucho tabaco aquí, pero el princi-pal recurso económico es el turismo— contestó Alfonso. —Durante el verano vienen para ver las montañas boni-tas y para gozar de las aguas termales° de Les Escaldes. Durante el invierno muchísima gente viene para esquiar.

aguas termales hot springs

—¡Y siempre vienen para ir de compras! — añadió Beto, riendo.

—¿Ir de compras?— preguntó Sue, los ojos brillando de animación. —¿Qué compran?

—Compran de todo— explicó Beto. —Muchos fran-ceses y españoles vienen aquí solamente para comprar cámaras, perfumes, licores, radios, todas las cosas elec-trónicas. Todo esto es mucho más barato aquí que en España o en Francia.

—Sue, cuando lleguemos al pueblo, tú vas a quedarte en el coche— rió Steve. —No te voy a dejar salir si hay tantas tiendas.

Sue le miró a su hermano con cara de indignación. Mientras tanto, habían subido las montañas y llegaron al puerto. Miraron a Francia.

—¿Veis la caravana?— preguntó Beto, mientras Alfonso estacionó el coche al lado de la carretera.

Los jóvenes vieron una línea increíble de coches en la carretera abajo.

—¡Parece que toda Francia viene a Andorra!— rió Sue. Podían ver, por lo menos, cinco kilómetros de carretera llena de coches que se acercaban a Andorra.

—Sí, así parece. Es así siempre durante el verano. Pues ahora vamos a Andorra la Vella, la capital— dijo Alfonso.

—¡Qué paisaje pintoresco!— dijo Ramón mientras pasaban por los pueblos viejos, los campos verdes, la tierra fértil de lodo negro,° y las montañas.

lodo negro black earth

Después de ver todo esto, se sorprendieron mucho al entrar a la capital. Ya no podían ver las montañas por las innumerables tiendas a los lados de la calle. Había tanto tráfico que en media hora sólo avanzaron dos manzanas. Mientras tanto, Sue se entusiasmó más y más al mirar todas las tiendas. —¿Qué hablan aquí?— preguntó. —No puedo leer los letreros.°

letreros signs

Alfonso explicó mientras estacionó el coche: —La lengua oficial es catalán, pero todo el mundo habla catalán, francés y español y muchos hablan inglés y alemán.

—¡Ay!— dijo Steve, —¡y yo pensaba que poder hablar dos lenguas era bueno!

—Bueno— dijo Alfonso, ahora un poco impaciente y nervioso, —os encontramos aquí en una hora.

Y, sin explicar adónde iban, Alfonso y Beto salieron y dejaron asombrados a los otros.

—¿Adónde van?— preguntó Ramón.

—¿Quién sabe?— dijo Steve.

—Pues— dijo Sue, pensativa, —esta mañana caminé con Alfonso en el Valle de Pineta porque esperaba que me dijera° algo acerca de todo este misterio. No me dijo nada aunque le pregunté mucho.

esperaba . . . dijera
I hoped he would tell me

Ramón, sonriendo y con cara de alivio, le preguntó: —Entonces, Sue, ¿te fuiste con Alfonso sólo para hacerle preguntas?

—Sí— dijo Sue. Entonces le miró y rió. —Ay, Ramón, ¡estabas celoso! ¡No quiero a Alfonso!

Feliz, aún no le molestó a Ramón seguir a Sue, mientras iba a casi todas las tiendas en el pueblo.

Después de una hora regresaron al coche y vieron a Alfonso y Beto con un paquete enorme que ponían en el baúl.°   **baúl** trunk

—¿Qué comprasteis? ¿Podemos verlo?— les preguntó Sue cuando llegaron al coche.

—Es que...— balbuceó Alfonso. —Está bien envuelto. No puedo abrirlo aquí. Tenemos un viaje largo. ¿Listos?— añadió, cambiando de tema.

Subieron al coche y viajaron a la frontera en silencio. Cuando llegaron a la aduana° todos mostraron sus pasaportes y Alfonso y Beto bajaron del coche.   **aduana** customs

—Parece que el agente de aduana los conoce —suspiró Sue.

Los tres miraron con mucha atención y trataron de escuchar la conversación entre sus amigos y el agente.

—No sé por qué creo esto— dijo Steve, —pero me parece que hay soborno° aquí. ¿Notasteis el dinero que le dio Alfonso al agente?   **soborno** bribery

—Ahora estoy aún más confundida. ¿Qué es el paquete?— preguntó Sue en voz baja.

—Pues ahora sé que Alfonso está metido en un lío° grande— dijo Ramón. —Tenemos que resolver esto.   **lío** mess, muddle, scrape

En este momento subieron Alfonso y Beto al coche y todos empezaron el regreso a Barcelona en silencio.

1. ¿Qué pasó a las cinco de la madrugada?
2. ¿Cuál es el plan de Sue?
3. ¿Cuál es la sorpresa de Alfonso y Beto?
4. ¿Cómo es el Valle de Pineta?
5. ¿Qué hacían Beto, Ramón y Steve en el Valle?
6. ¿Qué vieron los jóvenes en el puerto?
7. ¿Por qué es raro el país de Andorra?
8. ¿Por qué vienen muchos turistas a Andorra?
9. ¿Qué hacían Sue, Steve y Ramón en Andorra la Vella? ¿Qué hacían Alfonso y Beto?
10. ¿Qué cosa rara pasó en la frontera?

10. El dibujo misterioso

Después del viaje a Pamplona y Andorra, los jóvenes se fijaron aún más en las actividades de Alfonso y Beto. Salieron mucho con ellos pero, desilusionados, no aprendieron más de la muerte de Carlos. Tampoco aprendieron qué estaba en el paquete misterioso que adquirieron Alfonso y Beto en Andorra.

—¿Es posible que imaginemos cosas raras?— les preguntó Ramón a sus amigos una semana después de su regreso del viaje.

—No, no imaginamos nada— respondió Steve, con énfasis. —Vimos el paquete enorme en Andorra. Sabemos que murió Carlos en una manera extraña y que Alfonso y Beto cambiaron sus planes muchas veces.

—Y nunca han contestado nuestras preguntas— añadió Sue. —Para mí, eso es lo más sospechoso.

—Tienes razón— dijo Ramón. —Me parece que tenemos que seguir con nuestras investigaciones.

En este momento sonó el teléfono. —Diga— contestó Steve. —Hola, Alfonso, ¿qué hay? ¿Cómo? Sí, adiós, adiós.

—¿Qué pasa?— preguntó Sue al regresar Steve.

—¡Otro viaje misterioso!— exclamó Steve. —Me dijo que no puede acompañarnos hoy porque tiene que estar fuera de Barcelona por unos días, pero no me dijo adónde va.

—Es un enredo—° comentó Ramón. —Pues, siento que yo también tengo que salir. Tengo clases en la universidad. Adiós, adiós.

enredo puzzle, maze

—Ahora, ¿qué hacemos?— preguntó Steve. —Parece que tenemos que pasar el día solos.

Sonó el teléfono otra vez. Lo contestó Sue. —Diga...
¡Ay! Hola Sr. Riofrío. ¿Adónde? Sí, sí, perfecto.
Nos vemos.

—Steve— exclamó al colgar° el teléfono, —el Sr. Rio- **colgar** to hang up
frío nos invitó a Tarragona. Va a visitar a varios negociantes de arte allí y luego vamos a la playa en Salou.

Unas horas después los tres llegaron a la vieja ciudad
de Tarragona que está al sur de Barcelona a la orilla del
Mediterráneo.

—Vamos a ver primero las ruinas— sugirió Rogelio.
— ¡Son muy interesantes!

Dudoso, Steve siguió a Rogelio y Sue mientras ellos
hablaron con entusiasmo de las muchas culturas que vi-
vían en España, los íberos, los celtíberos, los griegos, los
árabes, los romanos....

Aún Steve se entusiasmó al ver las enormes paredes
de piedra que rodeaban la parte vieja de la ciudad.

—Notad que las piedras tienen tamaños diferentes.
Las más gruesas° al fondo son de los íberos. Mientras **gruesas** thick
las civilizaciones avanzaban, empezaron a usar piedras
más pequeñas y más lisas.° **lisas** smooth

Los jóvenes notaron los estratos° diferentes de los grie- **estratos** layers
gos, los romanos y otros grupos. Después vieron la vieja
catedral y muchos edificios en la ciudad vieja.

—Ahora, ¿quieren acompañarme a unos negociantes
de arte antes de ir a la playa?

Los jóvenes entraron en una tienda de arte muy antigua en la ciudad vieja. Aunque Rogelio sugirió que
esperaran fuera, los jóvenes entraron en la tienda también. Fingieron interés en algunas pinturas pero, en realidad, miraron a Rogelio. Lo vieron sacar un papel de
su cartera y mostrarlo al dependiente. Vieron que era
un dibujo de un hombre viejo.

—¡He visto ese hombre!— suspiró Steve a Sue, incrédulo. — ¡Sé que lo he visto!— repitió.

Sue, fijándose también en el dibujo, dijo: — ¡Yo también lo he visto! Pero, ¿dónde? ¡No recuerdo dónde
lo he visto!

—Tampoco recuerdo yo— dijo Steve mientras Rogelio
se les acercaba.

—Pues, chicos, ¿vamos, eh?— preguntó Rogelio.

Impacientes, Sue y Steve le explicaron a Rogelio que reconocían al hombre en el dibujo. Le preguntaron quién era.

Incrédulo, Rogelio les preguntó: —¿Lo reconocéis? Este… no he pedido vuestra ayuda antes pero, si sabéis algo, ahora tengo que pedirla.

—¡Claro que te ayudaremos!— exclamaron Sue y Steve a la vez.

Los tres subieron al coche y mientras viajaban hacia la playa de Salou al sur de Tarragona, Rogelio empezó su cuento raro.

—Pues, sabéis que el invierno pasado vuestro tío Tony y su esposa Marta Millón pasaron su luna de miel aquí en España. Pues, como regalo de su boda, Marta le compró a Tony una pintura. Pagó una fortuna porque era una de las pinturas "perdidas" de Picasso y, claro, a Tony le gustó muchísimo. La llevaban a casa en México y la colgaron en un sitio especial en su casa.

—Pues, un día, cuando Tony examinaba la pintura, descubrió que era falsa, era un engaño,° no era obra de Picasso. Muy enfadadó, Tony quería castigar° al hombre que le vendió la pintura a Marta. Me mandó aquí con el trabajo de encontrar al vendedor, informar a la policía y recoger el dinero que perdió Marta.

—¿Y su dibujo?

—Ah, sí, el dibujo— continuó Rogelio. —Pues, para ayudarme, Marta describió al vendedor y Tony hizo el dibujo de su descripción. Ella también me dijo dónde estaba la tienda donde compró la pintura.

—Yo pensaba que este trabajo sería° muy fácil. Yo iba a ir a la tienda, ver al hombre e informar a la policía. Iba a estar libre para visitar España, pero…

—Pero, ¿qué?— preguntó Sue.

—El primer día que estuve aquí, fui a la tienda y descubrí que un incendio° la había destruido. Ninguno de los vecinos reconoció al hombre del dibujo. ¿Qué hacer entonces? Pues, desde entonces he visitado a casi todos los negociantes de arte en Barcelona y en los pueblos de la Costa Dorada. ¡Nadie sabe nada! Tony y Marta llegan aquí de hoy en ocho días° y van a estar muy desilusionados.

engaño fraud

castigar to punish

sería would be

incendio fire

de hoy en ocho días
in a week

45

—Tengo una idea— dijo Steve lentamente.

—¿Qué?— preguntaron Rogelio y Sue a la vez.

—Pues, sabe Ud. que dos de los amigos de Ramón son estudiantes de arte en la universidad. Es posible que conozcan a algunos negociantes que Ud. no ha conocido todavía. Pediré la ayuda de Alfonso y Beto.

—Buena idea, gracias— dijo Rogelio. —Ahora estamos en Salou. Vamos a olvidarnos de los problemas y divertirnos en la playa.

—Buena idea— exclamaron Sue y Steve.

Estacionaron el coche y caminaron a la playa. Con mucha dificultad encontraron un lugar en la playa. Por todas partes había gente.

Entraron al agua y entendieron por qué Salou era un sitio tan popular. El agua estaba casi caliente, muy limpia y clara. La vista de la bahía° era estupenda. bahía bay

Cuando los jóvenes estaban solos, Sue comentó: —Parece raro pedir la ayuda de Alfonso y Beto en resolver un misterio cuando sabemos que están metidos en su propio misterio.

—Sí, es raro, pero es posible que puedan ayudar mucho al Sr. Riofrío— contestó Steve.

—Pues, es casi chistoso que nosotros estamos metidos ahora en dos misterios. ¡Y pensar que éste iba a ser un verano de diversión, nada más!

Los dos rieron y regresaron al agua.

1. ¿Qué hacían Sue, Steve y Ramón cuando regresaron de Pamplona?
2. ¿Por qué no puede Alfonso acompañarlos a Sue y Steve?
3. ¿Qué planes tiene el Sr. Riofrío?
4. ¿Cómo son las ruinas de Tarragona?
5. ¿Qué hizo el Sr. Riofrío en la tienda de arte?
6. ¿Por qué les interesa tanto a los jóvenes el dibujo?
7. ¿Qué compró Marta Millón para su esposo? ¿Qué descubrió Tony más tarde?
8. ¿Cuál fue el trabajo del Sr. Riofrío en España?
9. ¿Por qué no era un trabajo fácil?
10. ¿Cuál es la idea de Steve? ¿Cree Ud. que es una buena idea? ¿Por qué?

11. El enredo

Sonó el teléfono. Lo contestó Steve. —Diga. ¿Qué hay? Pues, sí. ¡Estupendo!

—Pues, ¿qué?— preguntó Sue cuando Steve no le explicó la llamada.

—¿Cómo?— dijo Steve, confundido, como si estuviera pensando en otra cosa. —Ah, sí. Era Alfonso. ¡Vamos a una fiesta con Mercedes y él!

—¡Qué bueno!— exclamó Sue. —Pero, ¿cuándo, dónde, por qué?

—¿Cuándo? A las seis, esta noche. ¿Dónde? En el Pueblo Español. ¿Por qué? Hay fiesta nacional hoy. El dieciocho de julio conmemora el primer tiro de la Guerra Civil. ¿Te contesté todas tus preguntas?— rió Steve.

—¡Eres imposible!— rió Sue.

Más tarde Sue, Steve, Alfonso y Mercedes llegaron a Montjuich. Pasaron una hora en el Parque de Atracciones. Se divirtieron mucho con la montaña rusa° y las otras atracciones.

> montaña rusa roller-coaster

—Parece que los parques de atracciones son iguales en todo el mundo— dijo Steve, respirando muy hondamente° después de salir de un giro° rápido por un "avión" pequeño.

> respirando muy hondamente breathing deeply
> giro turn, trip

—Sí, son iguales— comentó Alfonso. —Pero en el Pueblo Español veréis algo muy distinto. Vámonos.

—¿Vamos por el teleférico?— preguntó Mercedes.

—¡Claro!— exclamó Alfonso mientras les mostraba la entrada.

Después de un rato los cuatro subieron a una de las

cajas° rojas. Mientras pasaban por arriba del parque, tenían una vista maravillosa del puerto y del mar azul en una dirección y de toda la ciudad hasta el Tibidabo° en otra.

cajas cabins

Tibidabo mountain on the west edge of Barcelona

—Pues, aquí estamos— dijo Mercedes. Los cuatro amigos bajaron de la caja y caminaron medio kilómetro hasta llegar al Pueblo Español.

Mientras caminaban, Mercedes les explicó: —Edificaron el Pueblo Español para la Feria Mundial de 1929. En el pueblo los edificios representan todos los estilos de arquitectura en España. Una calle es exactamente como una calle típica de Andalucía, otra de Galicia, otra de Navarra, etc. En el centro hay una Plaza Mayor como la Plaza Mayor en Madrid.

—Parece que es como un mini-viaje por toda España— comentó Sue.

—Sí, así es— explicó Mercedes. —Y, además de los edificios, hay artesanos de todas partes del país que trabajan allí. Puedes ver a los artesanos hacer objetos de madera, cuero° y vidrio soplado,° trabajar el oro damasquinado° de Toledo y hacer ropa típica de varias regiones. Aún hay un herrero.°

cuero leather
vidrio soplado blown glass
oro damasquinado inlaid gold, damascened
herrero blacksmith

—Y, además, Sue, puedes comprar los objetos que hace— rió Alfonso.

—¡Ay! ¡Fantástico!— exclamó Sue, llena de entusiasmo.

Los cuatro entraron al pueblo y empezaron su visita. No se sorprendió nadie cuando Sue casi se volvió loca° en todas las tiendas. ¡Tenía que pedir la ayuda de Steve y Alfonso para llevar todas las cosas que compró!

se volvió loca went crazy

Por fin, cansados de mirar y comprar, se fueron a la Plaza Mayor. Para celebrar la fiesta nacional, habían puesto muchas sillas por todas partes y había una orquesta pequeña. Se sentaron en uno de los restaurantes, pidieron refrescos y esperaron el comienzo de la música. Mientras descansaban, Steve le explicó a Alfonso los problemas de Rogelio Riofrío.

—Así pensábamos que tú tendrías algunas ideas— explicó Steve. —¿Conoces a unos negociantes que se parecen al dibujo que tiene Riofrío? ¿Puedes acompañarle a Riofrío a algunas tiendas de arte? ¿Tienes algunas

ideas para ayudarlo? ¿Hay alguien en la universidad que puede ayudarlo?

Steve estaba tan ocupado con todas sus preguntas que no notó un cambio en Alfonso. Sin embargo, Sue notó que Alfonso parecía muy nervioso, la cara estaba casi blanca y gotas de sudor° aparecían en la frente.°

gotas de sudor drops of perspiration
frente forehead

—Pues... es que...— balbuceó Alfonso, —es que... me gustaría mucho ayudarlo a su amigo, pero... estoy muy ocupado en la universidad ahora... y, de veras, no conozco a nadie. No conozco a nadie— añadió con énfasis.

Y, dirigiéndose a Sue, preguntó: —¿Quieres bailar?

Confundidos, Sue y Steve no dijeron más acerca de los problemas de Riofrío. Bailaron, comieron y hablaron de otras cosas. No llegaron a su hotel hasta muy tarde. Muy cansados Sue y Steve no hablaron de la reacción extraña de Alfonso. Se fueron inmediatamente a dormir.

A las cuatro de la mañana Sue se despertó y se asustó al oír un grito fuerte de la otra habitación. De repente, Steve apareció en la puerta. Muy emocionante, exclamó: —¡Sue! Acabo de recordar dónde vi al hombre cano en el dibujo de Riofrío.

—¿Recordaste? ¿Dónde? ¿Quién es?— preguntó Sue, ahora bien despierta.

—¡Lo vi en Pamplona! El día que murió Carlos vimos a Alfonso y Beto hablar con él en la plaza.

—Pero, yo no estaba allí— interrumpió Sue. —¿Recuerdas? ¡Y yo lo vi al hombre también!

—No importa. Lo importante, ¡lo increíble!, es que Alfonso y Beto conocen al hombre que busca el Sr. Riofrío.

—¡Por eso Alfonso estaba tan nervioso cuando pedimos su ayuda anoche!— exclamó Sue. —¡Nuestros dos misterios son el mismo misterio!

Entonces Steve gritó: —¡Los viajes misteriosos, todo el dinero que tienen, los paquetes enormes! Alguien les paga para matutear° pinturas falsas de Andorra a España.

matutear to smuggle

—¡Claro!— exclamó Sue. —¿Recuerdas el paquete enorme que adquirieron Alfonso y Beto en Andorra?

¿Recuerdas que no nos dijeron qué era? ¿Recuerdas que sospechamos soborno° cuando llegamos a la frontera? Todo cabe.°

soborno bribery

todo cabe it all fits

—Una cosa más— añadió Sue, muy emocionada, —ahora recuerdo dónde vi *yo* al hombre en el dibujo. ¡Es un profesor de Alfonso! La primera vez que salí con Alfonso fuimos a la casa de ese profesor para "entregar un proyecto."

—¿Y el "proyecto" era un paquete bien envuelto, o sea una pintura que Alfonso había matuteado aquí?— interrumpió Steve.

—¡Ay de mí! ¡Alfonso y Beto son criminales!— exclamó Sue. —¡Nunca pensaba que estarían metidos en un lío tan grande!

—Ni yo tampoco. Pues, mañana tendremos que hacer una visita a ese "profesor."

Completamente despiertos y emocionados, Sue y Steve hablaron hasta el amanecer.°

amanecer dawn

1. ¿Qué hicieron los chicos en Montjuich?
2. ¿Cómo es el Pueblo Español?
3. ¿Qué hacían los jóvenes en el Pueblo Español?
4. ¿Cómo reaccionó Alfonso a las ideas de Steve?
5. ¿Por qué se asustó Sue a las cuatro de la mañana?
6. ¿Dónde vio Steve al hombre cano?
7. ¿Por qué son el mismo los dos misterios?
8. ¿Dónde vio Sue al hombre cano?
9. ¿Qué era el «proyecto» de Alfonso?
10. ¿Qué van a hacer los jóvenes mañana?

12. Los culpables son capturados.

Sue y Steve explicaron a Rogelio y a Ramón sus descubrimientos de la noche. Los dos, casi sin palabras, habían escuchado muy asombrados y ahora Ramón dijo:
—Me parece que describís al profesor Peralta. Lo he visto en la universidad. Es un profesor muy popular y, ¡sé que Alfonso ha sido alumno suyo! ¡Todo esto es increíble!

—Increíble, pero verdad— añadió Rogelio en una manera muy seria. —Ahora, ¿qué hacemos?

—Pues, Sue— preguntó Ramón, —¿puedes encontrar la casa del profesor Peralta otra vez?

—Estoy segura de que sí.

—Entonces— dijo Ramón, —vamos allí. Puedo fingir° que soy un alumno suyo y preguntarle algo acerca de un curso. ¡Ya veremos que pasa!   **fingir** to pretend

—Vamos— dijeron todos de acuerdo.

Llegaron en poco tiempo a la casa cerca de la universidad.

—Esa es la casa— dijo Sue.

—Pues, esperad aquí— dijo Ramón. —Voy a hacer mis preguntas.

Ramón regresó desilusionado. —No está. La criada me dijo que salió de repente esta mañana. No le dijo adónde iba ni cuándo regresaba.

Todos, muy desilusionados, se miraron.

—Bueno, parece que llegamos al fin del camino para hoy— dijo Rogelio por fin. —Vamos a Tossa de Mar como planeamos.

—¿A qué hora llegan tío Tony y Marta?— preguntó Sue.

—El tren llega a Tossa de Mar a las cuatro— explicó Rogelio. —Si salimos ahora, podemos parar en algunos pueblos de la Costa Brava. No hará daño° investigar más negociantes de arte. ¡Quizás encontremos a nuestro profesor en una tienda allí! **no hará daño** it won't cause harm

—Creo que no— dijo Steve, —pero vamos a ver.

Los cuatro subieron al coche y, en una hora, estaban en el camino sinuoso° a la Costa Brava. **sinuoso** winding

Mirando el paisaje estupendo, casi se olvidaron de su desilusión. El claro mar azul estaba siempre a la derecha. De vez en cuando vieron una playa bonita escondida entre las escarpas° rocosas que terminaban junto al mar. **escarpas** cliffs

—¡Qué paraíso! — exclamó Sue.

—Sí, es precioso— dijo Riofrío. —Después de ver esto, las otras playas y costas no parecen nada.

Durante el viaje los cuatro pararon muchas veces. Rogelio visitó a muchos negociantes de arte mientras los jóvenes se paseaban por las playas y los pueblos. No averiguaron° nada. Desilusionados, llegaron a Tossa de Mar a las tres y media. **no averiguaron** they didn't find out

—El tren llega en media hora— dijo Rogelio. —Creo que tengo que decirle a Tony que todavía no sé nada. Tendré que regresar a Barcelona y seguir la búsqueda.° **búsqueda** search

—Sr. Riofrío, no es que no sabe nada. Ya sabe mucho. Sólo tenemos que encontrar al profesor— dijo Steve, tratando de ser optimista.

—Tienes razón, Steve. ¡Vamos a la estación!

—...llegada del tren de París... vía° dos. **vía** track

Los cuatro oyeron la última parte del anuncio del altavoz° y corrieron a encontrar a tío Tony y Marta. ¡Qué sorpresa cuando, al mismo instante que los vieron, se fijaron en un viejo hombre cano también bajando del tren! Notaron que aún llevaba un enorme paquete envuelto en papel. **altavoz** loudspeaker

—¡El profesor Peralta! — exclamaron todos.

—¡Ya voy!— exclamó Rogelio. Sin saludar a Tony y Marta, corrió detrás del profesor y desapareció entre la muchedumbre.

—¿Qué pasa?— preguntaron tío Tony y Marta, asombrados.

—Es un cuento complicado— dijo Steve. —Vamos al condominio° y les explicaremos todo.

Y se fueron al condominio. Los jóvenes explicaron todo el misterio. Les contaron de su viaje a Pamplona y los Pirineos. Les contaron todo lo que habían hecho en Barcelona. Tío Tony y Marta describieron su visita a París y el viaje de París a Tossa. Conversaron muchas horas pero no regresó Rogelio.

Perturbados, curiosos y preocupados, no sabían qué hacer. Por fin, a las once, decidieron comer aunque nadie tenía hambre. Mientras comían la ensalada, llegó Riofrío.

Con una sonrisa grande les explicó lo que había pasado. —Pues, cuando vi al profesor en la estación de trenes, no sabía qué hacer. Lo seguí. Fue a una tienda de arte en las afueras° de Tossa. Le vi dar pinturas, pinturas falsas como la tuya, Tony, al negociante. Recibió una gran cantidad de dinero del negociante.

—Lo seguí entonces a un hotel. Del hotel llamé a la policía. Arrestaron al profesor en el hotel y lo llevaron a la cárcel. Ahora buscan a Alfonso, Beto y los otros.

—¡Ay de mí! Se me había olvidado de que Alfonso y Beto están metidos en todo esto. ¿Son culpables° también?— preguntó Sue.

—Sí— contestó Riofrío. —Como sospechabas, Sue, los chicos eran pobres y, así, no querían rehusar° cuando su profesor les ofreció una gran cantidad de dinero para ayudarlo. Una vez metidos en este engaño,° no podían salir.

—¿Van a la cárcel también?— preguntó Ramón.

—Creo que sí— dijo Riofrío, —pero tienen más suerte que su amigo.

—¿Carlos?

—Sí, es verdad que lo asesinaron en Pamplona.

—Pero, ¿por qué?

—Porque él había tratado de ganar aún más dinero. Amenazó° al profesor. Carlos dijo que iba a informar a la policía de sus actividades si no le daba más dinero.

condominio condominium, block of owner-occupied flats

afueras outskirts

culpables guilty

rehusar refuse

engaño fraud, deceit

amenazó he threatened

54

—El profesor lo mandó a Pamplona con el propósito° de matutear algunas pinturas de la frontera de Francia que está cerca. El profesor lo siguió allí. Cuando Carlos empezó a correr con los toros, el profesor disparó° su pistola. Con todo el ruido del encierro, nadie oyó el disparo y todos creyeron que Carlos tropezó° y cayó delante del toro. En realidad, se cayó porque estaba herido.°

propósito purpose

disparó shot

tropezó tripped

herido wounded

—¡Ay de mí!— exclamó Sue. —¡Qué horror!

—Es triste, pero es la verdad— dijo Rogelio. —Y, felizmente, un criminal ya no puede robar a gente inocente como Tony.

—Pues, me alegro mucho— dijo tío Tony. —Ahora todos podemos divertirnos aquí, pasear en lancha, nadar, tomar el sol,° pescar, esquiar.

tomar el sol sunbathe

Todos, contentos, terminaron la cena y pensaron en los días de descanso que pasarían en Tossa.

—Descansemos, por lo menos, hasta que encontremos otra aventura— dijo Steve a Sue. —¿Vale?

—¡Vale!— respondió. Y todos rieron.

1. ¿Quién es el hombre cano?
2. ¿Qué pasa cuando van a la casa del profesor?
3. ¿Cómo es el paisaje de la Costa Brava?
4. ¿Por qué pararon en el viaje a Tossa?
5. ¿Qué les sorprendió cuando llegó el tren?
6. ¿Qué hizo el Sr. Riofrío cuando vio al profesor?
7. ¿Por qué matutearon Alfonso y Beto?
8. ¿Por qué murió Carlos? ¿Cómo?
9. ¿Qué van a hacer todos en Tossa?
10. ¿Cree Ud. que los jóvenes pueden descansar?

VOCABULARY

The Master Spanish-English Vocabulary presented here represents the vocabulary as it is used in the context of this book.

The nouns are given in their singular form followed by their definite article only if they do not follow the usual gender rule. Adjectives are presented in their masculine singular form followed by **-a**. The verbs are given in their infinitive form followed by the reflexive pronoun **-se** if it is required, by the stem-change (**ie**), (**ue**), (**i**), by (**IR**) to indicate an irregular verb and by the preposition which follows the infinitive.

A

abrazar (c) to embrace
abrir to open
abuelo grandfather
aburrido, -a bored
acabar (de) to have just
acera pavement
acerca (de) about, concerning
acercarse a (qu) to approach
aduana customs
afueras outskirts
ahora now
aire libre open air
albaricoque, el apricot
algo something
  algo de ver something to do with
aliviado, -a relieved
alivio relief
alquilar to rent
alrededor around
altavoz, el loudspeaker
alto, -a tall
altura height
amable nice, pleasant
andén, el platform
animarse to cheer up, be merry
anuncio announcement
anteojos, los eye glasses

antiguo, -a old, ancient
añadir to add
apretado, -a crowded
apretar to clutch, to tighten
apoyar to support
apurar to hurry
aquello, -a that one over there
artesanía folk art, craft
artesano artisan
arroyo stream, brook
ascensor, el lift
así so, thus, in this way
asiento seat
asombrar to frighten, to be surprised
asunto the matter
asustar to frighten
atar to tie
aunque even though
autopista motorway
avergonzado, -a embarrassed
averiguar to find out
ayuda help
ayudar to help

B

bajar de to go down, descend
bajo, -a short
balbucear to stutter

barato, -a inexpensive
barco ship
barrio neighbourhood, quarter
bienvenido, -a welcome
bigote, el moustache
billete, el banknote, ticket
bloque de piso apartment complex
boda wedding
boina beret
bostezar (c) to yawn
brazo arm
breve brief
burlarse de to make fun of

C

cabezudo, -a stubborn
cada each
caerse IR to fall down
calamar, el squid
calculador, el computer
callado, -a quiet
camarón, el shrimp
cambiar to change
cano grey-haired
cansado, -a tired
cansarse to tire oneself, become fatigued
cantidad, la quantity
capaz capable
capilla chapel
cara face
caravana traffic jam, string of cars
carcajada guffaw
cariño affection
cariñosamente affectionately
carta letter
cartera briefcase, wallet
cartero postman
carretera highway
casarse con to marry
casi almost
castigar to punish
celoso, -a jealous
cena dinner
centenares hundreds
cerca bench
cerrión, el icicle
cima peak
claro, -a light, clear coloured
cocina kitchen
coger (j) to catch, grab, pick up
colgar (ue) to hang
como how
compras purchases
  ir de compras to go shopping
conejo rabbit
confundido, -a confused
conocer (zc) to know, be acquainted
corrida de toros bullfight
cosa thing

costumbre, la custom
crecer (zc) to grow
cruzar (c) to cross
cuadro picture, painting
cubrir to cover
cuerda string, cord
cuero leather
cuerpo body
curioso, -a strange, odd, unusual

CH

chapitel, el spire
chaqueta jacket
chispear to sparkle, glitter
chistoso, -a funny, silly, laughable
chorizo sausage
churro a doughnut type pastry

D

dátil, el date
de of, from
  de repente suddenly
  de veras actually, really
debajo de under
dejar to leave, let
delante de in front of
delgado, -a slender, slim
dependiente, el, la clerk
derecho, right, privilege
descansar to rest, relax
desconocido, -a unknown
desolado, -a desolate
despertarse (ie) to wake up
dirigirse (a) to address, to go towards
discutir to argue, discuss loudly
diseñar to design
diseño design
disparar to shoot, fire
distinto, -a different
divertirse (ie) to have a good time
doblar to turn
dormido, -a asleep
dormir (ue) to sleep
dudoso, -a doubtful
dulce sweet
durar to last
duro a five peseta coin

E

edad, la age
embalse, el pond caused by a dam
encierro enclosure (running of the bulls)
encontrar (se) (ue) to find
  encontrarse con to meet
enfadado, -a angry
enfermera nurse
engaño deceit, falsehood

entrada entrance
entregar (gu) to hand in, deliver
envuelto, -a wrapped, covered
escalera stairway
escanciar to pour wine
escondido, -a hidden
esquina corner
este pause word like «um»
estrecho, -a straight
estrechar to extend
extraño, -a odd, unusual

F

fábrica factory
fachada facade
fijarse en to pay attention to
fin, el end
   a fines de at the end of
fingir (j) to pretend
fondo background, bottom
frente a facing
frente, la forehead
fresa strawberry
frontón, el wall for handball or
  jai alái
fuente, la fountain
fuera away, outside
fuerte strong

G

gaita Spanish bagpipe
gana desire
  tener ganas de to feel like
gárgola gargoyle
genio genius
gente, la people
gesticular to gesture
golpe, el blow, knock
gordo, -a fat
gota drop
gótico, -a gothic
gracioso, -a funny
grano grain
gritar to shout
grotesco, -a grotesque
grueso, -a thick

H

habitación, la bedroom
hacia to, towards
herida wound
hermano, -a brother, sister
horario schedule, timetable

I

igual same
incendio fire

incrédulo, -a unbelieving
innumerable innumerable
invierno winter

J

jota folk dance of northern Spain
joven *n.* young person; *adj.,* young
junto a next to
juntos together
juntarse to join

K

kiosco newsstand

L

lado side
ladrón, el thief
lancha small boat, launch
lejos de far away from
lengua language
lentamente slowly
limpio, -a clean
lío mess, entanglement
listo, -a ready
  estar listo, -a to be ready
lugar, el place
luna de miel honeymoon
luego later
luz, la light

LL

llano plain
llave, la key
llegada arrival
llegar (gu) to arrive
lleno, -a full
llorar to cry

M

madera wood
madrugada sunrise
maestro, -a master, teacher
maleta suitcase
manejar to drive a vehicle
mantel, el tablecloth
manzana city block
marea tide
matutear to smuggle
medianoche, la midnight
medios means
mejor better
mente, la mind
mentir (ie) to lie
merluza hake, a type of whitefish
metido, -a en involved, mixed up
mezclar to mix

58

miedoso, -a afraid
mientras meanwhile, during
mismo, -a same
moda style, manner
moreno, -a dark haired
mostrar (ue) to show, demonstrate
muchedumbre, la multitude, crowd
muerte, la death
mujer, la woman
mundo world
museo museum

N

nada nothing
nadie nobody
negociante, el dealer, businessman
negocio business transaction
nieto grandson
ningún none, not any
noticias, las news

O

obra work
ola wave
orgulloso, -a proud
orilla shore, coastline
oscuro dark
ostión, el oyster
otro, -a other, another

P

pájaro bird
paisaje, el scenery, landscape
palabra word
paloma pigeon
paquete, el package
parar to stop
parecer (zc) to seem, appear
pared, la wall
pariente, el relative
particular private
pasa raisin
pasajero passenger
pasillo hallway, aisle
paso step
patrón, el pattern
pecho chest
pedazo piece
pegar (gu) to strike, hit
pelea fight
peligroso, -a dangerous
pensativo, -a thoughtful, pensive
peña group of young men
perder (ie) to lose
perdido, -a lost
perezoso, -a lazy
periódico newspaper
perturbado, -a worried, upset

pesar to weigh
pescado fish
piedra stone
piel, la skin, leather
pintura painting
piso apartment, flat
playa beach
potable drinkable
preocupado, -a worried
presa dam
prisa hurry
propósito aim, purpose
  a propósito by the way
proyecto project
puerto port; high point in mountains
puesto stand
puesto que since

Q

quejarse de to complain about
querer (ie) to love, like, want, desire
queso cheese

R

raro, -a strange, odd
rascacielo skyscraper
rato short period of time
recado message
recoger (j) to recover
recordar (ue) to remember
recto, -a straight
recurso recourse, resource
refresco soft drink
regalo gift
registrado, -a inspected
reina queen
reír (se) to laugh (at)
reloj, el watch, clock
respuesta answer
reunión, la meeting
revista magazine
rey, el king
rico, -a delicious, rich
rodear to surround
ronda round
rubio, -a blonde
ruido noise
ruta route

S

sacar (qu) to take out, take pictures
saltar to jump
saludar to greet
sardana folk dance of Cataluña
secar (qu) to dry
seguir (i) to follow
señal, la signal
siempre always

sin embargo nonetheless
sitio place
soborno bribery
sobrino nephew
soltero bachelor
sombra shadow
sonido sound
sonreír to smile
soñar to dream
sorprender (se) to surprise
sospechar to suspect
subir a to go up, ascend, get in a
  vehicle
suceso occurrence
sueño sleep
suerte, la luck
sugerir (ie) to suggest
suspirar to sigh

T

tamaño size
tambor, el drum
tampoco neither
tanto, -a so much
tapón, el cork
tarjeta card

techo roof
tejado roof
tela cloth
todavía still, yet
torre, la tower
trigo wheat
tumultuoso, -a busy, tumultuous

V

vagón, el carriage (of train)
vendedor, el salesman, seller
vergüenza embarrassment
vestirse (i) to dress
vez, la time
vidrio glass
vista view
viuda widow
vivo, -a alive
vosotros you (plural)
vuelo flight
vuestro, -a your

Y

ya already